中华人民共和国国家标准

聚酯及固相缩聚设备工程安装与质量验收规范

Code for installation and quality acceptance of
PET and SSP equipments engineering

GB/T 51193 - 2016

主编部门：中 国 纺 织 工 业 联 合 会
批准部门：中华人民共和国住房和城乡建设部
施行日期：2 0 1 7 年 4 月 1 日

中国计划出版社

2016 北 京

中华人民共和国国家标准

聚酯及固相缩聚设备工程安装与
质量验收规范

GB/T 51193-2016

☆

中国计划出版社出版发行

网址：www.jhpress.com

地址：北京市西城区木樨地北里甲 11 号国宏大厦 C 座 3 层

邮政编码：100038　电话：(010) 63906433（发行部）

北京市科星印刷有限责任公司印刷

850mm×1168mm　1/32　6.375 印张　159 千字

2017 年 3 月第 1 版　2017 年 3 月第 1 次印刷

☆

统一书号：155182 · 0040

定价：39.00 元

中华人民共和国住房和城乡建设部公告

第 1290 号

住房城乡建设部关于发布国家标准《聚酯及固相缩聚设备工程安装与质量验收规范》的公告

现批准《聚酯及固相缩聚设备工程安装与质量验收规范》为国家标准,编号为 GB/T 51193—2016,自 2017 年 4 月 1 日起实施。

本规范由我部标准定额研究所组织中国计划出版社出版发行。

中华人民共和国住房和城乡建设部

2016 年 8 月 26 日

前 言

本规范是根据住房城乡建设部《关于印发〈2014 年工程建设标准规范制订修订计划〉的通知》(建标〔2013〕169 号)的要求,由中国纺织工业联合会和中国昆仑工程公司共同编制完成的。

规范编制组经广泛调查研究,根据我国聚酯及固相缩聚设备工程的安装特点,认真总结设备安装和验收经验,参考同类现行国家标准,并在广泛征求意见的基础上多次修改,最后经审查定稿。

本规范共 10 章和 29 个附录,主要内容包括:总则,术语和代号,基本规定,场内设备运输及吊装,设备支架钢平台安装,设备安装,管道安装,电气安装,仪表及控制系统安装,绝热、涂料防腐蚀安装等。

本规范由住房城乡建设部负责管理,由中国纺织工业联合会负责日常管理,由中国昆仑工程公司负责具体技术内容的解释。执行过程中,如有意见或建议,请寄送中国昆仑工程公司(地址:北京市海淀区增光路 21 号,邮政编码:100037,传真:010-68395215)。

本规范主编单位、参编单位、主要起草人和主要审查人:

主 编 单 位:中国纺织工业联合会

中国昆仑工程公司

参 编 单 位:中核华誉工程有限责任公司

中国机械工业第一建设有限公司

浙江省工业设备安装集团有限公司

江苏天目建设集团有限公司

主要起草人:杨海明　周华堂　李　莉　丛　彬　李宏儒

刘　哲　赵国平　诸明泉　姜　平　吴　江

刘臣平　张松涛　孙　良　周　超

主要审查人: 万网胜　罗文德　张万和　刘承彬　侯小平

汪英枝　杨　星　杨铁荣　张建仁　付　刚

张玉祥　陈　钢　刘锦阳　庞劲风　陈福生

目　　次

Contents

1 总 则

1.0.1 为了统一聚酯及固相缩聚设备工程安装的技术要求,规范安装与质量验收,保证安装质量,制定本规范。

1.0.2 本规范适用于新建、改建和扩建项目的聚酯及固相缩聚设备工程安装与质量验收。

1.0.3 聚酯及固相缩聚设备工程安装与质量验收除应符合本规范外,尚应符合国家现行有关标准的规定。

2 术语和代号

2.1 术　语

2.1.1 撬装设备　skid mounted equipments

一组设备及相关管道、阀门和仪表等在工厂组装到钢制底座上,整体运至现场,直接安装在基础上的成套设备。

2.1.2 大型设备　large-size equipment

指重量不小于 100t 或一次性吊装长度或高度不小于 60m 的设备。

2.1.3 后锚固　post-installed fastening

在已有混凝土结构上的锚固。

2.1.4 栽焊螺柱　bolt embedded welding

通过焊接(一般用螺柱焊机焊接)连接在母件(金属板材)上的螺柱。

2.1.5 唇焊垫片　welding outside-edge gasket

采用焊唇结构密封的无垫片特殊金属法兰。

2.1.6 切片　polyester chip

通过聚合工艺生产得到一定尺寸规格的片状或柱状颗粒,通称聚酯切片。

2.1.7 聚酯工程　polyester engineering

以二元羧酸和二元醇为主要原料,经浆料配制、酯化、缩聚过程生产熔体或切片的装置工程。

2.1.8 固相缩聚　solid state polycondensation

将较低黏度的聚酯切片以固体形式增加到较高黏度切片的过程。

2.2 代　　号

PET　polyethylene terephthalate　精对苯二甲酸乙二醇酯
PIA　purified isophthalic acid　精间苯二甲酸
PTA　purified terephthalic acid　精对苯二甲酸
SSP　solid state polycondensation　固相缩聚

3 基 本 规 定

3.1 一 般 规 定

3.1.1 聚酯及固相缩聚设备工程安装前准备工作应符合下列规定：

1 相关方应组织有关人员进行设计交底和图纸会审，熟悉设计文件的技术要求；

2 施工单位应编制施工组织设计、施工方案等技术文件，并经审核批准；

3 施工单位应对施工人员进行施工技术及安全技术交底；

4 施工人员应对照设备安装图纸对设备基础进行复验，不满足安装要求的设备基础应整改合格。

3.1.2 施工单位应制订生产安全事故应急救援预案，建立应急救援组织并应按应急预案储备救援器材。

3.1.3 安装施工机具的检验或检修，计量和检测器的检定、校准应符合现行国家标准《机械设备安装工程施工及验收通用规范》GB 50231 的有关规定。

3.1.4 压力容器、压力管道等特种设备安装施工前，应向当地的质量技术监督部门履行告知手续。

3.1.5 特种设备及管道上安全附件的保管、安装、检查等应符合相应的特种设备安全技术要求。

3.1.6 聚酯及固相缩聚设备工程安装和质量验收应符合设备技术文件和设计文件的要求，设备技术文件和设计文件未要求时应执行本规范。

3.1.7 安装质量验收单位工程划分宜符合表 3.1.7-1 的规定，分部工程划分宜符合表 3.1.7-2 的规定。

表 3.1.7-1　安装质量验收单位工程划分

单 位 工 程			
聚酯装置工程	固相缩聚装置工程	切片料仓工程	调配装置工程

注：当切片料仓、调配装置与聚酯装置或固相缩聚装置布置在同一个厂房中时，可
合并在聚酯装置工程或固相缩聚装置工程中。

表 3.1.7-2　安装质量验收分部工程划分

分 部 工 程						
设备支架钢平台安装工程	设备安装工程	管道安装工程	电气安装工程	仪表安装工程	设备及管道涂料防腐蚀安装工程	设备及管道绝热安装工程

3.2　设备开箱检查

3.2.1　设备开箱检查前应符合下列规定：

　　1　设备应运到仓库或现场，场地应干净并具备开箱作业条件；

　　2　参与开箱的相关方人员应到达现场，设备采购合同附件应查阅熟悉，开箱记录表格应备齐；

　　3　保存备品备件的仓库应已准备就绪，货架制作应完成，标签及标记笔应齐备，满足存放相关备品备件的要求；

　　4　开箱作业人员劳保着装应符合要求，并应配备专用开箱工具。

3.2.2　设备开箱检查应符合下列规定：

　　1　应检查设备外包装的完整性，核对设备的箱号、箱数，发现破损、泄漏或异常应及时拍照取证；

　　2　应对照装箱单核对设备、随机部件、专用工具及备品备件的名称、型号、规格、材质、数量等；

　　3　应对照资料清单核对随机资料是否齐全，并应进行登记；

　　4　放射性仪表的放射源标识应完整、牢固、清晰，并应处于关

闭锁定状态；

　　5　对设备主机及其随机部件应进行外观检查确认，并应进一步核对规格、型号及其他重要信息；

　　6　专业人员应参与本专业设备的开箱检查与验收；

　　7　相关方参与人员应在开箱验收记录上签字确认。

3.2.3　设备外观检查应包括下列内容：

　　1　无表面损伤、无变形、无锈蚀、内外表面涂层完好；

　　2　焊接飞溅和工装卡具的焊疤已清除；

　　3　不锈钢、不锈钢复合钢制设备的防腐蚀面无刻痕和各类钢印标记；

　　4　不锈钢、铝制设备表面无铁离子污染；

　　5　设备管口封闭；

　　6　设备的方位标记、中心线标记、重心标记及吊挂点标记清晰；

　　7　防腐蚀涂层无流坠、脱落和返锈等缺陷。

3.2.4　已开箱设备及随机附件的保管应符合下列规定：

　　1　对在仓库开箱的设备，应及时放回原包装箱，并应对破损的包装箱进行加固处理；

　　2　对现场开箱的设备，应及时安装到位，并应按要求进行妥善保护；

　　3　属后续安装的随机部件，应由安装单位保管，属开车调试或运行的随机备品备件，应由建设单位保管，并应做好相关交接记录。

3.2.5　到场设备资料的检验项目和检验方法应符合表3.2.5的规定。

表3.2.5　到场设备资料的检验项目和检验方法

项次	检验项目	检验方法
1	应有质量证明文件，且目录与内容一一对应，文字叙述清晰	对照文件，逐项检查核对

项次	检 验 项 目	检 验 方 法
2	设备型号、规格、性能测试报告应符合国家技术标准或设计文件要求	按照标准或设计文件要求进行逐项检查核对
3	压力容器应提供竣工图样(图样上应当有设计单位许可印章,并且加盖制造单位竣工图章)、压力容器产品合格证、产品质量证明文件和产品铭牌的拓印件或者复印件、特种设备制造监督检验证书、设计单位提供的强度计算书、设计图样、制造技术条件等压力容器设计文件	逐项检查核对
4	进口设备除应提供质量合格证明、检测报告及安装、使用、维护说明书等文件资料外,还应提供原产地证明和商品检验证书	逐项检查核对

3.2.6 开箱设备质量检验项目和检验方法应符合表 3.2.6 的规定。

表 3.2.6 开箱设备质量检验项目和检验方法

项次	检 验 项 目	检 验 方 法
1	设备型号、规格、主要安装尺寸应与设计文件相符	检查质量证明文件,按照标准或设计文件要求进行核对
2	设备外表应无裂纹、损伤和锈蚀等缺陷,防锈包装应完好	观察检查
3	管口保护物和堵盖应完好	观察检查
4	电机、机架和联合支座、护罩等涂装完好	观察检查
5	附属内部管道、内部管道连接件、随机携带的零部件、连接件、密封件、附件、易损备件、随机工具等齐全完好	按照技术文件核对,观察检查

3.3 设 备 基 础

3.3.1 设备的混凝土基础施工和验收应符合现行国家标准《混凝土结构工程施工质量验收规范》GB 50204 和《建筑工程施工质量验收统一标准》GB 50300 的有关规定。

3.3.2 混凝土基础质量验收应符合下列规定：

1 设备就位时，混凝土基础强度应大于设计强度值的 80%。基础强度的检测评定应符合现行国家标准《混凝土强度检验评定标准》GB/T 50107 的有关规定。

检验方法：对照混凝土基础的设计文件和验收记录核查。

2 设备混凝土基础允许偏差和检验方法应符合表 3.3.2-1 的规定。

表 3.3.2-1 设备混凝土基础允许偏差和检验方法

项次	验 收 项 目		允许偏差(mm)	检 验 方 法
1	设备基础中心线与柱网轴线位置		20	拉钢丝线、尺量检测
2	设备基础各平面标高	一次浇捣	−20～0	水准仪检测或尺量检测
		二次浇捣	−5～0	水准仪检测或尺量检测
3	设备基础外形尺寸		±20	尺量检测
4	凸台基础平面外形尺寸		−20～0	尺量检测
5	凹台基础平面外形尺寸		+20	尺量检测
6	基础平面水平度	局部	5/1000且≤5	拉钢丝线、水准仪检测
		全长	≤10	拉钢丝线、水准仪检测
7	基础立面铅垂度	局部	5/1000且≤5	线锥法、经纬仪或尺量检测
		全长	10	线锥法、经纬仪或尺量检测
8	支承面预埋件	标高	−3～0	水准仪检测或尺量检测
		中心线位置	10	尺量检测
		水平度	3	线锥法或水准尺检测

项次	验 收 项 目		允许偏差(mm)	检 验 方 法
9	地脚螺栓预留孔	孔深度	+20	尺量检测
		中心线位置	10	尺量检测
		孔壁铅垂度	10	线锥法或尺量检测
10	地脚螺栓预埋	顶端标高	+10	水准仪检测
		根部中心距	±2	尺量检测
		顶部中心距	±2	尺量检测
		环形布置地脚螺栓与定位中心	±2	尺量或钢卷尺检测
		地脚螺栓铅垂度	5/1000	线锥法或尺量检测
		地脚螺栓基础顶面外伸长度	+30~0	尺量检测
11	带锚板的滑动地脚螺栓预埋	标高	+20	水准仪检测
		中心线位置	5	尺量或塞尺检测
		锚板平整度	2	尺量或塞尺检测

注:1 检测坐标、中心线位置时,应沿纵、横两个方向测量,并取其中的较大值。

2 允许偏差为 0mm,表示可以负偏差,不可以正偏差。

3 设备基础弹线允许偏差和检验方法应符合表 3.3.2-2 的规定。

表 3.3.2-2 设备基础弹线允许偏差和检验方法

项次	检 验 项 目		允许偏差(mm)	检 验 方 法
1	墨线直线度	$L \leqslant 20m$	0.5	用直径≤0.5mm 的钢丝线检测
		$20m < L \leqslant 50m$	1	
		$L > 50m$	2	
2	墨线宽度		1	钢板尺或钢卷尺检测
3	定位线(十字线)铅垂度		1	勾股弦法检测

项次	检 验 项 目		允许偏差(mm)	检 验 方 法
4	主定位线与基准柱网中心线距离		±1	钢卷尺检测
5	相邻两台设备定位线间距		±1	钢卷尺检测
6	任意两不相邻机台定位线间距		±2	钢卷尺检测
7	机台辅助线与主定位线距离	S≤1m	±0.5	用钢板尺或钢卷尺检测辅助线两端与定位线的距离
		S>1m	±1	

注：1 *L* 为墨线长度。

　　2 *S* 为辅助线与主定位线的平行距离。

3.4 后锚固连接

3.4.1 后锚固连接的施工应符合现行行业标准《混凝土结构后锚固技术规程》JGJ 145 的有关规定。

3.4.2 后锚固连接检验项目和检验方法应符合现行行业标准《混凝土结构后锚固技术规程》JGJ 145 的有关规定,还应符合表 3.4.2 的规定。

表 3.4.2 后锚固连接检验项目和检验方法

项次	检 验 项 目	检 验 方 法
1	后锚固基材混凝土强度等级不应小于 C20	对照设计文件和验收记录核查
2	胀锚螺栓不应打在结构有裂缝和容易产生裂缝的部位,结构抹灰层和装饰层不得作为锚固基层	观察检查、尺量检查
3	锚栓最小间距、锚栓至基础或构件边缘的最小边距、钻孔的直径和深度应符合选用的锚栓的要求,且应防止与基础或构件中的钢筋、预埋管和电缆等埋设物相碰	观察检查、尺量检查
4	锚栓底端至楼层设备基础或构件底面的距离不应小于胀锚螺栓公称直径的 3 倍和底部钢筋保护层厚度,且不应小于 30mm,锚栓底端至地面设备基础底面的距离不应小于 100mm	对照设计文件,尺量核查

项次	检 验 项 目	检 验 方 法
5	锚栓中心至锚板边缘的距离不应小于 $2d_0$,且不应大于 $4d_0$ 或 $8t$ 的较小值,d_0 为锚栓外径,t 为锚板厚度	观察检查、尺量检查
6	植筋后需要焊接的,植筋外部预留长度不应小于 5 倍的植筋外径,且不应小于 200mm	观察检查、尺量检查
7	采用化学锚栓连接时,应进行最高温度不小于 60℃适用性和耐久性检测,化学锚栓应满足环境使用要求	观察检查、查验施工记录
8	锚栓的长度宜满足螺栓露出螺母 2 个～3 个螺距,各螺栓的拧紧力应均匀	尺量检查、扳手检查

3.5 栽焊螺柱、地脚螺栓、垫铁与灌浆

3.5.1 栽焊螺柱的施工应满足设计文件的要求。

3.5.2 地脚螺栓、垫铁和灌浆的施工应符合现行国家标准《机械设备安装工程施工及验收通用规范》GB 50231 的有关规定,还应符合下列规定:

　　1 设备找正、找平时,应用垫铁或其他专用调整件进行调整,不得用紧固或放松地脚螺栓的方法进行调整;

　　2 基础与二次灌浆层接触的表面应凿成麻面,麻点深度不宜小于 10mm,麻点分布宜为 3 点/dm^2～5 点/dm^2,表面不得有疏松层;

　　3 基础与垫铁的接触面应铲平;

　　4 灌浆应在设备找正、找平后 24h 内进行,灌浆施工应连续进行;

　　5 地脚螺栓预留孔内及设备基础顶面与设备底座间的灌浆,可采用比设备基础混凝土标号高一级的细石混凝土或微膨胀混凝土,也可采用高强无收缩灌浆料;

　　6 灌浆用料应现用现配,灌浆前灌浆处应用水清洗干净,并

应保持湿润不少于 2h,灌浆前 1h 应吸干积水,灌浆应振捣密实,不得使地脚螺栓歪斜和影响设备的安装精度,当环境温度低于 5℃时,应采取保温防冻措施。

3.5.3 地脚螺栓、栽焊螺柱的安装质量验收应符合下列规定:

1 地脚螺栓、栽焊螺柱、螺母、垫片的材质及规格应符合设计文件的要求。

检查数量:相同规格型号、材质、同一生产厂商的产品为一个检验批,每一检验批检查 5%,且不少于 5 个。

检验方法:检查质量证明文件,尺量检查。

2 预留孔地脚螺栓安装检验项目和检验方法应符合表 3.5.3-1 的规定。

表 3.5.3-1 预留孔地脚螺栓安装检验项目和检验方法

项次	检 验 项 目	检 验 方 法
1	地脚螺栓安放前,预留孔中应无杂物	观察检查
2	螺栓应垂直无歪斜	观察检查
3	地脚螺栓任一部分距预留孔壁的距离不得小于 15mm,地脚螺栓不得碰到预留孔底	观察检查或尺量检查
4	螺栓的光杆部分应无油污和氧化皮,螺纹部分应涂抹少量油脂	观察检查
5	拧紧螺母后,螺栓应露出螺母 2 个~3 个螺距	观察检查
6	螺母与垫圈、垫圈与设备底座之间的接触应均匀良好	观察检查
7	预留孔中的混凝土应达到设计强度的 80% 以上后拧紧地脚螺栓,各螺栓的拧紧力应均匀	检查浇灌记录、扳手检查
8	滑动端地脚螺栓在设备相应的长圆孔两端的间距应符合膨胀要求,螺栓拧紧后松开 1mm~3mm,再安装一个螺母,两个螺母间锁紧	观察检查、扳手检查、尺量检查

3 栽焊螺柱、安装板的安装检验项目和检验方法应符合表 3.5.3-2 的规定。

表 3.5.3-2　栽焊螺柱、安装板的安装检验项目和检验方法

项次	检 验 项 目	检 验 方 法
1	安装板按照设计文件规定钻孔并在底面扩孔,如无规定时,钻孔孔径应大于螺柱直径 4mm～5mm,坡口 45°,直边长度 2mm	尺量检查
2	螺柱插入安装板的深度应符合设计文件的规定,如无规定,螺柱端部到安装板底面的距离应为 2mm	观察检查、尺量检查
3	按照设计文件规定进行螺柱与安装板之间的塞焊,如无规定,安装板坡面与螺柱之间应满焊,无局部未熔合现象	观察检查
4	栽焊螺柱应与安装板的上平面垂直	观察检查
5	焊后应清除飞边、毛刺、焊接飞溅物、焊疤、氧化铁皮等,用于滑动端的安装板顶面及设备支座底面应清理干净,不应有妨碍滑动的疤痕、斑点等缺陷,并涂抹润滑剂,安装板底面与基础预埋钢板或钢平台应平滑接触	观察检查
6	螺母拧紧应均匀,螺柱宜露出螺母 2 个～3 个螺距,滑动端螺柱在设备相应的长圆孔两端的间距应符合膨胀要求,螺栓拧紧后松开 1mm～3mm,再安装一个螺母,两个螺母间锁紧	观察检查、扳手检查、尺量检查
7	设备调整经检验合格后,应将安装板与混凝土上的预埋钢板定位焊牢固,如果设备支撑在钢平台上,应按照设计文件规定将安装板与钢平台焊接	观察检查或对照设计文件规定检查

3.5.4 垫铁安装检验项目和检验方法应符合表 3.5.4 的规定。

表 3.5.4　垫铁安装检验项目和检验方法

项次	检 验 项 目		检 验 方 法
1	材料和制作	宜符合现行国家标准《机械设备安装工程施工及验收通用规范》GB 50231 的有关规定	观察检查、尺量检查

项次	检 验 项 目		检验方法
2	位置	垫铁组在能放稳和不影响灌浆的条件下,宜靠近地脚螺栓和底座主要受力部位的下方,设备底座有加强筋时,垫铁应放在加强筋下,每个地脚螺栓旁边至少应有一组垫铁。设备调平后,平垫铁端面宜露出设备底面外缘 10mm～30mm;斜垫铁端面宜露出设备底面外缘 10mm～50mm,垫铁组伸入设备底面的长度应超过设备地脚螺栓的中心	观察检查、尺量检查
3	状态	混凝土基础上放置垫铁的位置应铲平,垫铁与基础面接触应均匀,垫铁之间接触应紧密,受力均匀,不得歪斜、悬空	用小锤轻击、观察检查
4	高度层数	斜垫铁应成对使用,且不应超过一对,叠合长度不应小于垫铁长度的 3/4,每组垫铁不应超过 3 层,薄垫铁厚度不应小于 2mm,承受重载荷或连续振动设备时,应使用平垫铁,垫铁总高度不得超过 70mm	观察检查、尺量检查
5	固定	放置在混凝土基础上的垫铁在二次灌浆前应将同组垫铁间用定位焊焊牢	观察检查
		安装在钢平台、混凝土基础预埋钢板上的垫铁应用定位焊将垫铁与钢平台、预埋钢板焊牢	

3.5.5 灌浆施工检验项目和检验方法应符合表 3.5.5 的规定。

表 3.5.5 灌浆施工检验项目和检验方法

项次	检 验 项 目		检验方法
1	浆料要求	应采用比设备基础混凝土标号高一级的细石混凝土或微膨胀混凝土,也可以采用高强无收缩灌浆料,灌浆用料应现用现配	检查施工记录及试件强度试验报告

项次		检 验 项 目	检验方法
2	一次灌浆	灌浆前灌浆处应用水清洗干净,并保持湿润不少于2h,灌浆前1h应吸干积水。灌浆应振捣密实,不得使地脚螺栓歪斜和影响设备的安装精度。当环境温度低于5℃时,应采取保温防冻措施	检查混凝土施工记录、观察检查
		灌浆应连续进行,不得分次浇灌	检查混凝土施工记录
3	二次灌浆	二次灌浆应在隐蔽工程检验合格并且记录完整、设备最终找正、找平后的24h内进行,灌浆应连续进行,不得分次浇灌	检查各项记录
		基础与二次灌浆层接触的表面应凿成麻面,麻点深度不宜小于10mm,麻点分布以3点/dm²～5点/dm²为宜,表面不得有疏松层	观察检查
		灌浆厚度不应小于25mm,灌浆前应敷设外模板,外模板至设备底座外缘距离不应小于60mm,并应高于设备底座10mm,当设备支座下不需要完全灌浆时,应设置内模板	尺量检查、观察检查
		设备滑动端的二次灌浆应低于设备支座底面,不妨碍设备支座滑动	观察检查
		拆模后二次灌浆料表面应进行抹面处理	观察检查

3.6 设备及管道的现场保护

3.6.1 设备管口或开口应及时封闭。

3.6.2 搬运、吊装时,所使用的碳钢构件、锁具等不得与不锈钢、铝制设备壳体或管道附件外壁直接接触;已安装就位的不锈钢、铝制设备及管道附件应与碳钢隔离,并应采取防止铁离子污染及焊接飞溅损伤的防护措施。

3.6.3 空冷器安装时,应防止损伤空冷式换热管管束翅片。

3.6.4 已进行热处理的设备和管道附件应防止电弧或火焰损伤。

3.6.5 管道补偿装置安装过程中应保护其临时约束装置。

3.6.6 已完成安装的温度计、压力表、流量计、油杯等易损件,应及时进行有效防护。

3.6.7 当进行二次装修等土建施工时,应对已安装设备进行有效防护隔离。

3.7 设备的试压、清扫和封闭

3.7.1 设备宜同相关管道系统共同进行泄漏性试验、冷态真空泄漏试验、热态真空泄漏试验。设备与相关管道共同进行压力试验时,应符合现行国家标准《工业金属管道工程施工规范》GB 50235的有关规定。带有夹套的设备,其内腔与夹套应分别与相关管道系统共同进行相应的各项试验。

3.7.2 除设计文件要求外,设备不单独进行除充水试漏以外的试验。

3.7.3 设备及相关管道系统试压前,应符合下列规定:

   1 设备找正、找平工作应已完成;

   2 基础的二次灌浆应已达到强度要求;

   3 设备安装质量控制记录应完整;

   4 与设备本体相连的管道系统安装完毕,热处理和无损检测应合格;

   5 设备需要现场组焊时,组焊完毕且焊缝无损检测应合格;

   6 管道系统应符合现行国家标准《工业金属管道工程施工规范》GB 50235 和《压力管道规范 工业管道》GB/T 20801 的有关规定;

   7 试压方案应已经批准。

3.7.4 试验用压力表除应符合本规范第 3.1.3 条的规定外,尚应符合下列规定:

   1 应在试压系统最高处和最低处各设置一块量程相同的压力表;

2 当试压系统设计压力小于 1.6MPa 时,压力表的精度等级不得低于 1.0 级,设计压力不小于 1.6MPa 时,压力表的精度等级不得低于 1.6 级;

3 压力表的量程不应小于试验压力的 1.5 倍且不应大于 3 倍,宜为试验压力的 2 倍;

4 压力表的外壳公称直径不应小于 100mm。

3.7.5 用水作为液压试验介质及常压容器充水试漏时,宜采用洁净水。当奥氏体不锈钢设备及管道系统用水作为试验介质时,水质氯离子含量不得超过 25mg/L。

3.7.6 当用空气、氮气或惰性气体作为试验介质时,气体应干燥洁净。

3.7.7 当 Q345R 普通低合金钢、Q370R 锅炉及压力容器专用钢设备进行液压试验时,液体温度不得低于 5℃;其他碳素钢和低合金钢设备进行液压试验时,液体温度不得低于 15℃;碳素钢和低合金钢设备进行气压试验时,气体温度不得低于 15℃。

3.7.8 进行液压试验时,环境温度不宜低于 5℃,若环境温度低于 5℃,应采取防冻措施。

3.7.9 设备和相关管道系统液压试验检验项目和检验方法应符合表 3.7.9 的规定。

表 3.7.9 设备和相关管道系统液压试验检验项目和检验方法

项次	检 验 项 目	检 验 方 法
1	水质符合本规范第 3.7.5 条的规定	检查水质检定报告
2	试验液体介质温度符合本规范第 3.7.7 条的规定	测温仪测量
3	设备及相关管道系统液压试验应缓慢升压,待压力达到试验压力后,稳压 10min,再将试验压力降至设计压力,稳压 30min,应检查压力表有无压降,设备管道所有部位应无渗漏,设备无可见变形、无异常声响。各设备管道系统液压试验的试验压力应符合设计文件的规定	观察检查、核对试验报告

3.7.10 设备和相关管道系统气压试验检验项目和检验方法应符合表 3.7.10 的规定。

表 3.7.10 设备和相关管道系统气压试验检验项目和检验方法

项次	检 验 项 目	检 验 方 法
1	气体介质符合本规范第 3.7.6 条的规定	检查检定报告
2	试验气体介质温度符合本规范第 3.7.7 条的规定	测温仪测量
3	设备及相关管道系统气压试验应缓慢升压,待压力达到试验压力的 50% 时,如未发现异常或泄漏,应继续按照试验压力的 10% 逐级升压,每级稳定 3min,直至试验压力。应在试验压力下稳压 10min,再将压力降至设计压力,采用发泡剂检验所有接头和焊接部位,应无泄漏,试验过程无异常响声,设备应无可见变形	观察检查、采用发泡剂检验所有接头和焊接部位、核对压力试验报告

3.7.11 设备和相关管道系统泄漏性试验检验项目和检验方法应符合表 3.7.11 的规定。

表 3.7.11 设备和相关管道系统泄漏性试验检验项目和检验方法

项次	检 验 项 目	检 验 方 法
1	气体介质符合本规范第 3.7.6 条的规定	检查检定报告
2	试验气体介质温度符合本规范第 3.7.7 条的规定	测温仪测量
3	设备及相关管道系统泄漏性试验应在压力试验合格后进行。泄漏性试验应缓慢升压,待压力达到试验压力,并稳压 10min 后,用涂刷中性发泡剂的方法检查所有密封点,应无泄漏。各设备管道系统泄漏性试验的试验压力应符合设计文件的规定	用涂刷中性发泡剂的方法观察检查、核对试验报告

3.7.12 真空操作的设备和相关管线系统应先冷态、后热态进行真空泄漏试验。冷态真空泄漏试验应在泄漏性试验合格后进行,热态真空试验应在冷态真空泄漏试验合格后进行。真空泄漏率应按下式计算;设备和相关管道系统的冷态真空泄漏试验检验项目和检验方法应符合表 3.7.12-1 的规定;设备和相关管道系统的热态真空泄漏试验检验项目和检验方法应符合表 3.7.12-2 的规定。

$$Lr = \frac{\Delta P \cdot V}{\Delta T} \qquad (3.7.12)$$

式中:Lr——泄漏率(Pa·L/s);

ΔP——试验初始和终了的压力差(Pa);

V——设备及相关管线系统的净容积(L);

ΔT——试验持续时间(s)。

表 3.7.12-1 设备和相关管道系统的冷态真空泄漏
试验检验项目和检验方法

项次	检验项目	检验方法
1	试验持续时间应达到设计文件的规定	观察检查、检查试验报告
2	泄漏率应在设计文件要求的数值之内	观察检查、检查试验报告

表 3.7.12-2 设备和相关管道系统的热态真空泄漏
试验检验项目和检验方法

项次	检验项目	检验方法
1	试验时的温度应符合设计文件规定	检查温度表、检查试验报告
2	试验持续时间应达到设计文件规定	观察检查、检查试验报告
3	泄漏率应在设计规定的数值范围	观察检查、检查试验报告

3.7.13 设备和相关管道系统流体初始运行试验代替压力试验检验项目和检验方法应符合表 3.7.13 的规定。

表 3.7.13 设备和相关管道系统流体初始运行试验代替
压力试验检验项目和检验方法

项次	检验项目	检验方法
1	设备及其附属管道系统应无渗漏	观察检查
2	设备及其附属管道系统应无明显变形	观察检查

3.7.14 常压设备的充水试漏检验项目和检验方法应符合表 3.7.14的规定。

表 3.7.14 常压设备的充水试漏检验项目和检验方法

项次	检验项目	检验方法
1	水质符合本规范第 3.7.5 条的规定	检查水质检定报告

项次	检 验 项 目	检 验 方 法
2	充水试漏前设备外表面应清理干净,并使之干燥	观察检查
3	试漏的持续时间不得少于 1h	检查试验报告
4	焊接接头及连接部位应无渗漏	观察检查
5	与原料、物料接触的设备内部或不锈钢类设备内部充水试漏后应用压缩空气吹扫干燥	观察检查

3.7.15 设备清扫与封闭检验项目和检验方法应符合表 3.7.15 的规定。

表 3.7.15 设备清扫与封闭检验项目和检验方法

项次	检 验 项 目	检 验 方 法
1	所有临时连接件应拆除	观察检查
2	设备内部不得有泥沙、木块、边角料和焊条等杂物,与原料、物料及产品直接接触的容器内部应进行擦拭	观察检查
3	塔类设备的塔盘应逐层进行清扫,清扫合格后再安装塔盘通道板	观察检查
4	人孔、手孔封闭前应进行隐蔽工程验收	观察检查、检查隐蔽记录

3.8 设备单机试运行

3.8.1 单机试运行前操作人员应熟悉设备相关技术资料,应编制试运行方案,并应经过培训和技术交底。

3.8.2 撬装、大型机组设备及成套设备的单机试运行,应在供货商技术人员的指导下进行。

3.8.3 单机试运行应具备下列条件:

1 试运行范围内的设备主机及附属设备已经按照工程设计

文件、设备技术文件要求和有关施工规范的质量标准全部完成安装；

    2 与试运行设备相连的管道吹扫、清洗、试压完成，管道支吊架调整完毕，施工记录完整，检查合格；

    3 机器润滑油、密封液、液压油、控制油等填充或置换完成；

    4 密封液、冷却液等连接管道已安装完毕；

    5 单机试运行的临时管线、阀门、盲板、过滤网等临时设施安装完成；

    6 与试运行设备相关的电气和仪表系统调校合格；

    7 试运行所需要的公用工程等条件均满足要求；

    8 设备基础混凝土二次灌浆层达到设计强度。

3.8.4 单机试运行时检修工具、检测仪表、记录表格应齐备，保修人员应就位。

3.8.5 设备在试运行过程中应符合下列规定：

    1 机械装置连接应正确，并应达到设计及设备技术文件的要求；

    2 管路连接应正确，无渗漏现象，阀门安装应到位，开启正常；

    3 电气、仪表连接应正确，具备条件的电器、仪表应一并调试保护性联锁和报警等自控装置；

    4 启动时转向应正确，启动或急停应正常，运行中设备本体不应出现过热、震动、杂音等异常现象；

    5 泵、风机的单机试运行检查应符合现行国家标准《风机、压缩机、泵安装工程施工及验收规范》GB 50275 的有关规定。

3.8.6 每次单机试运行结束后，应符合下列规定：

    1 应及时切断电源和其他动力源；

    2 应进行放气、排水、排污及必要的防锈涂油工作；

    3 设备内有余压的应进行卸压。

3.8.7 单机试运行过程中应指定专人记录相关数据，单机试运行合格后,应由参与试运行的各相关人员在规定的表格上共同签字确认。

3.9 安装工程质量验收

3.9.1 安装工程质量验收应符合下列规定:

1 设备安装应符合设计文件及设备技术文件要求,安装质量现场应查验合格;

2 应按要求提交设备技术资料、安装技术资料和质量记录文件,并应经检查符合规定;

3 随设备提供的安装专用工器具、随机备品备件等应交还建设单位接收;

4 与质量验收无关的施工用临时设施应已拆除,验收设备应整洁干净;

5 转动设备、撬装设备等应已按合同要求完成相关试运行过程,试运行记录完整,设备性能及其检测参数满足技术要求。

3.9.2 验收结束后,参与安装工程质量验收各方应共同签署安装工程质量验收单。

3.9.3 安装工程质量不符合要求时,应及时处理和返工,并应重新进行验收。

3.10 安全、职业健康、环境保护

3.10.1 施工现场的安全管理应符合下列规定:

1 施工前应进行危险源辨识和评价,并应针对重大危险源制订相应的控制措施和应急预案;

2 施工组织设计应包括安全技术措施相关章节内容;

3 施工管理人员及操作人员应具备相应的安全知识和安全技能,并应经过安全技术培训,考核合格,持证上岗;

4 施工机具及设施的安全保护部件应完整,安全保险装置应灵敏可靠;

5 作业人员的劳保防护用品配置应符合现行国家标准《个体防护装备选用规范》GB/T 11651 的有关规定,作业前应穿戴齐备;

6 作业前应进行安全技术交底,并应记录完整。

3.10.2 施工现场的职业健康管理应符合下列规定:

1 现场作业环境应符合职业健康相关要求,对产生粉尘、噪声、高温、光辐射等危害因素的作业场所应采取有效控制措施或配置相关个人防护用品;

2 从事接触职业病危害作业的人员职业健康监护应符合现行国家职业卫生标准《职业健康监护技术规范》GBZ 188 的有关规定。

3.10.3 施工现场的环境保护措施应符合下列规定:

1 施工现场应对可循环利用的固体废弃物集中收集,并应分类存放;

2 施工现场应设置垃圾收集站,施工垃圾和生活垃圾应分类存放,并宜及时清运出场,当不能及时清运时,应采取防止二次污染的围挡措施;

3 施工现场降噪措施应符合现行国家标准《建筑施工场界环境噪声排放标准》GB 12523 的有关规定;

4 施工现场生产的生活污水、生产污水应经过处理达标后再排入市政排水管道,不得未经处理将污水直接排入市政管道或自然水系。

4 场内设备运输及吊装

4.1 场内设备运输

4.1.1 场内设备运输应符合现行国家标准《工业企业厂内铁路、道路运输安全规程》GB 4387 的有关规定。

4.1.2 施工现场运输道路应符合下列规定：

1 运输道路应平整，清除障碍物；

2 运输道路的承载力应满足运载车辆和设备的通行要求，并应有过程记录和确认；

3 大型设备运输道路地下设施应采取保护措施。

4.1.3 厂房内设备平移运输应按设计文件指定的运输路线进行。

4.1.4 厂房内设备平移支撑系统应符合下列规定：

1 支撑系统应按临时基础设置、下走道布置、行走装置布置、上走道布置和设备摆放的顺序进行；

2 临时基础均应设置在经计算许可的结构梁上；

3 下走道宜用钢板、H 型钢或钢轨铺设，并应满足刚度及强度要求；

4 上走道宜与设备底部支座联合设计，可利用设备的支座、框架的底板；

5 走道表面平面度误差不应大于 3mm，当采用钢板拼装时，应有排版图及焊接要求，对口错边量不应大于 0.5mm，高出母材表面的焊缝应打磨并与母材平齐；

6 当采用滚杠作为行走装置时，滚杠应满足刚度要求，使用前应进行检查，滚杠圆度偏差不应大于 1mm，直线度偏差不应大于·2mm，滚杠放置数量应符合现行国家标准《石油化工大型设备吊装工程规范》GB 50798 的有关规定，滚杠应在垂直于临时基础

与正式基础中心连线的位置上被切入,滚杠放置前应在下滚道上划好定位线,滚杠两端应有标识;

7 当采用履带式重物移运器作为行走装置时,应保证全部移运器的侧板方向平行一致,前后两台移运器的距离一致,移运器侧板与轨道的距离一致,安装时每台移运器均匀承载且严禁超过每台移运器的额定载荷,在使用移运器前应清除承载钢板面或地面的砂砾、铁削等障碍物,移运器应低速平稳行驶;

8 当采用滑动形式的行走装置时,上、下滑道应配合安装,中间应加润滑剂;

9 设备支座强度应满足平移运输要求。

4.1.5 设备在厂房内采用卷扬机牵引运输时,应符合下列规定:

1 卷扬机设置地点应便于观察吊装过程及指挥联络,且第一导向滑轮与卷扬机的安全距离应符合现行国家标准《建筑卷扬机》GB/T 1955 的有关规定,机身和导向滑轮固定应牢固。

2 走绳宜直接进入卷扬机。

3 卷扬机出绳的俯仰角度不得大于 5°。

4 卷扬机卷筒到最近一个导向滑车的距离不得小于卷筒长度的 20 倍,且导向滑车的位置应在卷筒的垂直平分线上。

5 卷筒上的走绳应均匀缠紧。

6 卷扬机的设置应避免出现下列情况:

1)走绳与设备进向交叉;

2)走绳与地面索具交叉;

3)妨碍设备尾排运行至规定位置。

7 作业前应检查钢丝绳、离合器、制动器等部件处于安全可靠状态。

4.1.6 设备平移运输程序应包括下列内容:

1 设置行走走道;

2 安装行走装置;

3 设备吊装到位,进行必要的设备支座加固;

4 牵引系统设置；

5 启动牵引系统平移设备；

6 当平移超过牵引系统一个行程时，重新设置牵引系统完成下一个行程，重复此过程，连续平移；

7 平移到位后，将行走装置拆除。

4.1.7 设备平移时的启动加速度、运行速度应满足设备的稳定性要求，并应采取防倾覆措施。

4.2 设备吊装

4.2.1 设备吊装中的地基处理、吊装绳索、吊装机具及吊装应符合现行国家标准《石油化工大型设备吊装工程规范》GB 50798 的有关规定。

4.2.2 吊装方案应根据工程特点、土建工程进度、起重机性能、设备到货时间、设备外形以及现场条件等确定。吊装方案应由专业吊装技术人员负责编制，并按文件管理程序审核和批准，并报送监理和建设单位确认。吊装方案应符合现行国家标准《石油化工大型设备吊装工程规范》GB 50798 的有关规定，并应符合下列规定：

1 吊装工艺和吊点位置应满足设备强度、刚度、局部稳定性等要求；

2 细长设备和带内衬设备的吊点设置应满足强度和挠度要求；

3 立式设备宜采用整体组合吊装；

4 大型设备拼装工作宜在起吊位置或靠近起吊位置处进行。

4.2.3 反应器等重设备就位调整过程中，其吊具荷载受力位置应符合设计要求。

4.2.4 设备安装过程中，支承在本层楼板或挂在上层结构梁上且受力超过 5t 的临时支点均应确认结构承载能力。

4.2.5 未经设备供货商或设计单位许可，不得在设备上焊接临时吊耳和支撑等辅助件，不得用设备接管替代吊耳进行吊装。临时吊耳制作应符合设计要求。

4.2.6 对于室外整体立式设备,宜将梯子及平台、附属管线、附属仪表和隔热层等安装检查验收完毕后进行吊装。

4.2.7 小型设备吊装可利用厂房结构搭建临时性吊装设施。

4.2.8 风机、压缩机、泵等设备的搬运和吊装,应符合现行国家标准《风机、压缩机、泵安装工程施工及验收规范》GB 50275 的有关规定。

5 设备支架钢平台安装

5.0.1 设备支架钢平台的制作和质量验收应符合现行国家标准《钢结构工程施工规范》GB 50755 和《钢结构工程施工质量验收规范》GB 50205 的有关规定。

5.0.2 设备吊装就位前,应对设备支架钢平台的安装质量进行确认,并应记录完整。其他钢柱、钢梁、支撑等连接件以及楼梯、栏杆和挡脚板,应在设备安装找准、调正后及时进行最终焊接或栓接。

5.0.3 设备支架钢平台的涂装应符合设计文件的要求。

5.0.4 设备支架钢平台安装允许偏差和检验方法应符合表 5.0.4 的规定。

表 5.0.4 设备支架钢平台安装允许偏差和检验方法

序号	检验项目	允许偏差(mm)	检验方法
1	钢柱基础中心与定位轴线距离	20	拉钢丝线、钢卷尺检测
2	柱基础支承埋件中心与定位轴线距离	±3	拉钢丝线、钢卷尺检测
3	柱轴线对行、列定位轴线的平行偏移	±3	拉钢丝线、钢卷尺检测
4	设备支架钢平台钢柱标高	−3~0	水准仪检测
5	设备支架钢平台钢梁标高	−3~0	水准仪检测
6	平台长度和宽度	±5	拉钢丝线、钢卷尺检测
7	平台两对角差	6	拉钢丝线、钢卷尺检测
8	平台钢柱翼缘对腹板的垂直度	$b/100$,且≤1.5	尺量或塞尺检测
9	设备支架钢平台梁水平度	$L/1000$,且≤2	水准仪检测
10	平台钢柱铅垂度	$H/1000$,且≤15	线锥法检测

序号	检 验 项 目		允许偏差（mm）	检 验 方 法
11	平台钢柱弯曲矢高		$H/1000$,且≤5	拉钢丝线、尺量检测
12	设备支架钢平台梁侧向弯曲		$L/1000$,且≤10	拉钢丝线、尺量检测
13	设备支架钢平台梁翼缘对腹板的垂直度		$b/250$,且≤2	尺量或塞尺检测
14	梁中心线偏移		2	尺量或钢卷尺检测
15	相邻梁间距		±4	尺量或钢卷尺检测
16	设备支架螺柱	定位中心线	±2	尺量或钢卷尺检测
		螺柱顶端标高	+10	尺量检测
		相邻螺柱中心距	±2	尺量检测
		螺柱铅垂度	$L/200$	线锥法检测

注：b 为钢梁、钢柱翼缘宽度，L 为钢梁长度，H 为钢柱高度，h 为螺柱高度。

6 设 备 安 装

6.1 一 般 规 定

6.1.1 聚酯及固相缩聚设备安装工程中分项工程和检验批宜按本规范附录 A 执行。

6.1.2 设备安装技术文件与资料应齐全有效,特种设备安装技术文件应符合相关监察规程的要求。

6.1.3 设备安装前应按设备布置图、设备基础图等设计文件对混凝土基础、设备支架钢平台等设备支撑设施进行检查验收,并应形成记录。混凝土基础、设备支架钢平台等设备支撑设施不符合设计要求,不得进行设备安装。

6.1.4 设备安装前应按照设备布置图确定安装基准线及定位基准标记,对设备相互之间有连接、衔接或排列关系的设备,应确定共同的安装基准线。当采用基础施工时确定的安装基准线时,应按照设备布置图对其再次复核确认。

6.1.5 高度超过 20m 的室外立式设备,其铅垂度的调整和测量工作不应在一侧受阳光照射及风力大于 4 级(含 4 级)的条件下进行。

6.1.6 设备的标高、方位测量应符合下列规定:

    1 设备的标高应以标高基准线为基准;

    2 设备的方位应以定位基准线的纵、横轴线为基准。

6.1.7 卧式设备的横向位置测量基准应为设备的中心线,纵向位置测量基准应为设备布置图上所示的定位线。

6.1.8 立式设备的位置测量基准宜为设备支座的中心。当设备中心线上或设备布置图上标注的定位尺寸与设备管口有对应关系时,应以该管口作为立式设备位置的测量基准。

6.1.9 设备布置图上所示的设备安装标高的定位面应作为设备标高的测量基准。

6.1.10 设备布置图上所示的设备上某个管口的方位应作为立式设备方位的测量基准。当设备布置图上未标明某个管口方位时,应以设备外形明显特征作为设备方位的测量基准。

6.1.11 设备的水平度测量应在同一平面内互成直角的两个及以上的方向进行。

6.1.12 设备水平度的测量基准应根据设备特点,选择下列基准点:

    1 卧式设备两侧水平方位线;

    2 现场装配内件的立式设备,其内壁的基准圆周线;

    3 带有立式搅拌器的容器,其连接搅拌器的法兰面。

6.1.13 立式设备的铅垂度以设备上 0°、90°、180°、270°的方位线为基准,应选择其中任意两条相邻的方位线作为测量基准。安装前宜在方位线上做出观测标识。

6.1.14 泵的安装施工及质量验收应符合设备技术文件的有关要求,并应符合现行国家标准《风机、压缩机、泵安装工程施工及验收规范》GB 50275 的有关规定。泵类设备安装及试运行检验批质量验收记录宜按本规范附录 B 执行。

6.1.15 风机的安装施工及质量验收应符合设备技术文件的有关要求,并应符合现行国家标准《风机、压缩机、泵安装工程施工及验收规范》GB 50275 的有关规定。风机类设备安装及试运行检验批质量验收记录宜按本规范附录 C 执行。

6.1.16 起重类设备安装及质量验收应符合设备技术文件的有关要求,并应符合国家现行标准《起重设备安装工程施工及验收规范》GB 50278 和《悬挂运输设备轨道》G359-1~4 的有关规定。起重类设备安装及试运行检验批质量验收记录宜按本规范附录 D 执行。

6.1.17 现场焊接制作的料仓,其制作、检验与验收应符合现行行业标准《固体料仓》NB/T 47003.2 的有关规定。现场焊接制作的料仓检验批质量验收记录宜按本规范附录 E 执行。

6.1.18 设备与相关管线系统的试压和设备的清扫与封闭应符合本规范第 3.7 节的规定。设备试压、清扫与封闭检验批质量验收记录宜按本规范附录 F 执行。

6.2 设备现场组装及组焊

6.2.1 由法兰连接的各段设备现场组装应符合设计文件的要求,当设计文件无要求时,应符合下列规定:

1 法兰连接的分段设备组装前,应结合设备组装图及设备管口方位图确定组装的方位。

2 有同心度要求的设备,在组装过程中应监测同心度数值。

3 由法兰连接的各段设备组装质量检验项目和检验方法应符合表 6.2.1 的规定。

表 6.2.1 由法兰连接的各段设备组装质量检验项目和检验方法

项次	检验项目	检验方法
1	法兰密封面和密封件不得有影响密封性能的划痕、斑点和缺陷	观察检查
2	设计温度高于 100℃的设备,连接法兰的螺栓及螺母应涂抹高温防烧结剂	观察检查
3	螺栓紧固后应与法兰紧贴,不得有楔缝,螺栓的外露长度应均匀	观察检查
4	组装后多段设备的同心度偏差值不应大于被组装设备偏差值的规定值	按照设备分项工程规定的检验方法
5	有拧紧力矩要求的螺栓,应按紧固程序完成拧紧工作,拧紧力应符合设计文件	检查安装记录

6.2.2 压力容器设备现场组焊应符合设计文件的要求,当设计文

件无要求时,其组焊应符合下列规定:

    1 组对前应结合设备组装图及设备管口方位图确定组对的方位。

    2 焊接坡口的加工应符合现行国家标准《压力容器 第4部分:制造、检验和验收》GB 150.4 的有关规定。现场设备组焊前,应对焊接坡口质量进行确认,不符合规定时应修正。

    3 焊接接头对口错边量、焊前准备及施焊环境、焊接工艺、焊缝表面形状尺寸及外观要求、焊缝返修应符合现行国家标准《压力容器 第4部分:制造、检验和验收》GB 150.4 的有关规定。

    4 焊缝的底层宜采用氩弧焊。

    5 定位焊缝焊接应采用评定合格的焊接工艺,定位焊缝厚度、长度和间距宜符合表 6.2.2 的规定。

表 6.2.2　定位焊缝厚度、长度和间距(mm)

焊件厚度 δ (mm)	定位焊缝厚度	定位焊缝长度	定位焊缝间距	检验方法
$\delta \leqslant 20$	$\leqslant 6$	$\geqslant 30$	$300 \sim 400$	尺量检查
$\delta > 20$	$\leqslant 8$	$\geqslant 50$	$400 \sim 500$	

    6 焊缝应逐层进行 100% 渗透检测,总体焊缝应进行 100% 射线检测,检测技术等级应符合现行行业标准《承压设备无损检测 第2部分:射线检测》NB/T 47013.2 的有关规定。

6.2.3 立式设备裙座、支耳或环形支座的组焊应符合设计文件的要求,当设计文件无要求时,应符合下列规定:

    1 组焊前应结合设备组装图及设备管口方位图确定裙座、支耳或环形支座的组对方位。

    2 当与裙座组对的封头或筒体有焊缝时,应在裙座顶部对应处开缺口,避开封头或筒体焊缝。

    3 立式设备裙座、支耳或环形支座现场焊接焊缝质量检验项目和检验方法应符合表 6.2.3 的规定。

表 6.2.3 立式设备裙座、支耳或环形支座现场焊接
焊缝质量检验项目和检验方法

项次	检 验 项 目	检 验 方 法
1	组对方位应符合组装图及管口方位图的要求,组对角度偏差应≤3°	尺量、吊线、水准仪检测
2	裙座或环形支座与相连封头的焊缝为连续焊,且应采用全焊透结构,焊脚高度不应小于1.7倍的筒体厚度	观察检查
3	焊接接头应进行100%渗透或磁粉检测。渗透检测按照现行行业标准《承压设备无损检测 第5部分:渗透检测》NB/T 47013.5进行,合格级别为Ⅰ级;磁粉检测按照现行行业标准《承压设备无损检测 第4部分:磁粉检测》NB/T 47013.4进行,合格级别为Ⅰ级	按照相应标准

6.2.4 当塔内件支撑结构现场焊接时,其焊缝质量应符合设计文件的要求,焊缝的质量检验项目和检验方法应符合表6.2.4的规定。

表 6.2.4 塔内件支撑结构现场焊接的焊缝质量检验项目和检验方法

项次	检 验 项 目	检 验 方 法
1	焊缝应为连续焊,且应采用全焊透结构,焊脚尺寸不应小于较薄件的厚度	观察检查
2	焊缝焊接完成后,焊脚应打磨光滑,不锈钢支撑结构应进行酸洗钝化处理	观察检查

6.2.5 容器内仪表专用套筒的现场焊接应符合设计文件的要求,当设计文件无要求时,应符合下列规定:

　　1 套筒应与仪表安装法兰垂直且与相关仪表管口同心;

　　2 套筒上的透孔方向应符合设计文件的规定,避免迎着物料流动方向;

3 容器内仪表专用套筒的现场焊接及焊缝的质量检验项目和检验方法应符合表 6.2.5 的规定。

表 6.2.5　容器内仪表专用套筒的现场焊接及
焊缝质量检验项目和检验方法

项次	检 验 项 目	检 验 方 法
1	套筒的铅垂度偏差应≤1mm/1000mm	尺量、吊线检测
2	套筒与相应仪表管口的同心度偏差应≤1mm	尺量、吊线检测
3	套筒上的透孔方向应符合设计文件的规定	按照设计文件规定，观察检查
4	套筒支撑与容器焊接，焊缝应为连续焊，焊脚尺寸不应小于较薄件的厚度	观察检查
5	焊缝焊接完成后，焊脚应打磨光滑，对不锈钢套筒应进行酸洗钝化处理	观察检查

6.3　塔　内　件

6.3.1　塔内件的安装应在完成塔体现场组焊，塔体整体安装，塔体压力试验合格，塔内表面油污、焊渣、铁锈、泥沙、皮毛刺等杂物清除干净，并应检验合格后进行。

6.3.2　塔内件安装前，应对塔盘零部件的编注序号进行核对确认。

6.3.3　塔盘安装前应进行预组装。

6.3.4　塔盘构件宜按下列顺序进行安装：

　1　内部支撑件安装及复测；

　2　降液板安装；

　3　塔盘板安装；

　4　气液分布元件安装；

　5　清理杂质；

　6　最终检查；

　7　通道板安装；

8 人孔封闭。

6.3.5 塔内件安装质量检验批验收应符合设备技术文件和设计文件的要求,当设备技术文件和设计文件无要求时,宜按本规范附录 G 执行。

6.4 立式搅拌器

6.4.1 立式搅拌器的安装应符合设备技术文件的要求,当技术文件无要求时,应符合下列规定:

1 安装前应复测容器顶法兰水平度,法兰密封面应无划痕、斑点等缺陷;

2 搅拌轴安装前应确认铅垂度,当有弯曲应使用专用工具进行调直,搅拌轴任意位置处摆动值应符合设计文件要求;

3 搅拌器下支撑轴承安装后,应使得搅拌轴转动灵活,无卡阻现象;

4 搅拌器下支撑轴承安装应使得底轴承与搅拌轴的同轴度在技术文件要求的范围内;

5 搅拌轴调整合格后,将下轴承的支撑筋与设备内壁焊牢,且焊接材料的品种、规格、性能应符合技术文件要求,焊缝应无气孔、咬边等缺陷,焊缝外观质量成型均匀,焊渣和飞溅应清除干净;

6 搅拌器底法兰与容器顶法兰之间的紧固应符合设计文件的规定;

7 搅拌器的机械密封液、冷却液以及减速箱内润滑油应无泄漏;

8 搅拌器的安装应符合现行行业标准《机械搅拌设备》HG/T 20569 的有关规定。

6.4.2 立式搅拌器安装质量允许偏差和检验方法应符合设备技术文件和设计文件的要求,当设备技术文件和设计文件无要求时,应符合表 6.4.2 的规定。

表 6.4.2 搅拌器及搅拌轴安装质量允许偏差和检验方法

项次	检 验 项 目		允许偏差(mm)	检 验 方 法
1	搅拌器安装 法兰水平度	纵向水平	0.5/1000	用水平仪检查搅拌器 所在容器的顶法兰水平度
		横向水平	0.5/1000	
2	搅拌轴	轴端径向跳动	1/1000 且≤3	百分表检查
		铅垂度	0.05°	吊线、尺量检查

6.4.3 搅拌器的试运行应在容器内液位达到设备技术文件要求的最低液位后进行,其试运行检验项目和检验方法应符合设备技术文件和设计文件的要求,当设备技术文件和设计文件无要求时,应符合表 6.4.3 的规定。

表 6.4.3 立式搅拌器试运行检验项目和检验方法

项次	检 验 项 目	检 验 方 法
1	盘车应转动灵活,无异常现象	观察检查
2	点动电机,转向应符合转向标记	观察检查
3	容器内液位达到设备技术文件规定的最低液位后启动电机,连续运转 2h,液位达到设备技术文件规定的最高液位后,连续运转时间不得小于 4h	查看试运行记录
4	运转过程中驱动电机电流及温升等不应超过规定值	电流表检查、温度计检查
5	电机、减速箱、搅拌器底轴承处应无异常杂音	现场监听
6	各连接密封点应无跑、冒、滴、漏现象	观察检查
7	内部各仪表显示正常	观察检查
8	轴承温升不应超过 40℃且温度不超过 75℃,轴承振动应符合设计规定	温度计检查、振动仪检查
9	设备各紧固部位应无松动现象	观察检查、扳手检查
10	整机应无明显振动	观察检查
11	转动噪声应小于 85dB	噪声仪检查

6.4.4 立式搅拌器安装质量及试运行检验批质量验收记录宜按本规范附录 H 执行。

6.5 卧式容器及卧式换热器

6.5.1 除技术文件要求外,卧式容器及卧式换热器滑动端的安装应符合下列规定:

  1 滑动端支座与基础间的滑动面宜涂抹润滑剂;

  2 滑动端支座地脚螺栓与设备相应的长圆孔两端的间距应符合膨胀要求;

  3 工艺配管完成后,应松动滑动端的螺母,使其与设备支座板面间留 1mm～3mm 的间隙,再安装一个螺母,两个螺母间应锁紧。

6.5.2 卧式容器内仪表专用套筒的现场焊接应符合本规范第 6.2.5 条的规定。

6.5.3 卧式容器及卧式换热器安装质量允许偏差和检验方法应符合表 6.5.3 的规定。

表 6.5.3 卧式容器及卧式换热器安装质量允许偏差和检验方法

项次	检 验 项 目		允许偏差(mm)	检 验 方 法
1	支座纵、横轴线位置		±5	尺量、吊线检测
2	标高		±5	水准仪检测
3	水平度(无搅拌器时)	轴向 *	$L/1000$ 且≤10	水平仪检测
		轴向坡度 *	$0.05°$	
		径向	$2D_0/1000$ 且≤5	
	搅拌器安装法兰面水平度(有搅拌器时)	轴向	$0.5/1000$	水平仪检测
		纵向	$0.5/1000$	

注:1 L 为卧式设备两端测点间的距离。

  2 D_0 为设备的外径。

  3 "*"表示轴向水平度偏差宜低向设备的排液方向;有倾斜度要求的设备,其倾斜度按设计文件要求执行。

  4 当设备上有搅拌器时,应检验搅拌器安装法兰的水平度。

6.5.4 卧式容器及卧式换热器安装检验批质量验收记录宜按本规范附录 J 执行。

6.5.5 卧式容器及卧式换热器试压、清扫与封闭检验批质量验收记录宜按本规范附录 F 执行。

6.5.6 卧式容器及卧式换热器上搅拌器安装及试运行检验批质量验收记录宜按本规范附录 H 执行。

6.6 立式容器及立式换热器

6.6.1 由法兰连接的各段立式容器现场组装时,其组装质量应符合本规范第 6.2.1 条的规定。

6.6.2 立式压力容器现场分段组焊时,应符合本规范第 6.2.2 条的规定。

6.6.3 立式容器裙座、支耳或环形支座现场组焊时,应符合本规范第 6.2.3 条的规定。

6.6.4 容器内仪表专用套筒的现场焊接应符合本规范第 6.2.5 条的规定。

6.6.5 立式容器及立式换热器安装质量允许偏差和检验方法应符合表 6.6.5 的规定。

表 6.6.5　立式容器及立式换热器安装质量允许偏差和检验方法

项次	检 验 项 目		允许偏差(mm)	检 验 方 法
1	支座纵、横轴线位置		±5	尺量、吊线检测
2	标高		±5	水准仪检测
3	铅垂度	$H{\leqslant}30\mathrm{m}$	$H/1000$,且不超过 30	尺量、吊线检测
		$H>30\mathrm{m}$	$H/1000$,且不超过 50	
4	方位	$D_{\mathrm{o}}{\leqslant}2\mathrm{m}$	10	尺量、吊线检测
		$D_{\mathrm{o}}>2\mathrm{m}$	20	

注:1　D_{o} 为设备的外径。

　　2　H 为立式设备两端部测量点的距离。

　　3　方位线沿底座圆周测量。

　　4　分段设备每段设备和组装后的整体设备铅垂度应符合第 3 项的规定。

　　5　当设备上有立式搅拌器,应控制立式搅拌器安装法兰面水平度偏差,法兰面轴向、纵向上的水平度偏差不应大于 0.5mm/1000mm,用水平仪检测,不再检查铅垂度。

6.6.6 立式容器及立式换热器安装检验批质量验收记录宜按本规范附录 K 执行。

6.6.7 立式容器及立式换热器试压、清扫与封闭检验批质量验收记录宜按本规范附录 F 执行。

6.6.8 立式容器、立式换热器上立式搅拌器安装及试运行检验批质量验收记录宜按本规范附录 H 执行。

6.6.9 立式塔类设备塔内件安装检验批质量验收记录宜按本规范附录 G 执行。

6.6.10 现场焊接制作的料仓检验批质量验收记录宜按本规范附录 E 执行。

6.7 撬 装 设 备

6.7.1 卧式撬装设备的安装应符合设备技术文件和设计文件的要求,当设备技术文件和设计文件无要求时,应符合本规范第 6.5 节的规定,其安装检验批质量验收记录宜按本规范附录 J 执行。

6.7.2 立式撬装设备的安装应符合设备技术文件和设计文件的要求,当设备技术文件和设计文件无要求时,应符合本规范第 6.6 节的规定,其安装检验批质量验收记录宜按本规范附录 K 执行。

6.7.3 撬装设备中泵类设备的试运行应符合设备技术文件和设计文件的要求,当设备技术文件和设计文件无要求时,试运行质量检验项目和检验方法应符合表 6.7.3 的规定。

表 6.7.3 撬装设备中泵类设备试运行质量检验项目和检验方法

项次	检 验 项 目	检 验 方 法
1	盘车应转动灵活,无异常现象	观察检查
2	点动电机,转向应符合转向标记	观察检查
3	如变频调速,升速降速过程中,应记录每个频率点的输出转速,频率点与输出转速应符合对应关系	查看试运转记录

项次	检 验 项 目	检 验 方 法
4	运转时间不应小于设计文件规定值	查看试运转记录
5	运转过程中检查驱动电机电流及温升等不应超过规定值	电流表检查、温度计检查
6	电机、减速箱等处应无异常杂音	观察检查
7	各连接密封点应无跑、冒、滴、漏现象	观察检查
8	内部各仪表显示应正常	观察检查
9	轴承温升不应超过 40℃ 且温度不超过 75℃,轴承振动应符合相关技术文件规定	温度计检查、振动仪检查
10	设备各紧固部位应无松动	观察检查、扳手检查
11	整机应无明显振动	观察检查
12	转动噪声应小于 85dB	噪声仪检查

6.7.4 撬装设备中泵类设备的试运行检验批质量验收记录宜按本规范附录 L 执行。

6.8 空冷式换热器

6.8.1 安装前除应按本规范第 3.2.3 条检查设备外观状况外,还应检查管束翅片的状况,不应有开裂、压弯等缺陷。减速器、叶托等配合表面、转动部件表面应清洁,无明显压痕或划痕。

检验方法:观察检查。

6.8.2 安装过程中,不得踩踏管束翅片。

6.8.3 翅片安装后,应松开管箱与侧梁连接的滑动螺栓 1mm～3mm。

检验方法:观察检查。

6.8.4 空冷式换热器风机叶片的安装应按设备技术文件的装配标识顺序进行。

检查方法:观察检查。

6.8.5 风机电动机座中心线位置的允许偏差为±2mm。

检查方法:尺量检查。

6.8.6 空冷式换热器构架安装质量允许偏差和检验方法应符合表6.8.6的规定。

表6.8.6　空冷式换热器构架安装质量允许偏差和检验方法

项次	检 验 项 目	允许偏差(mm)	检 验 方 法
1	平面对角线之差	±5	尺量检查
2	构架顶横梁水平度,纵向及横向	1/1000	尺量检查

6.8.7 空冷式换热器立柱安装质量允许偏差和检验方法应符合表6.8.7的规定。

表6.8.7　空冷式换热器立柱安装质量允许偏差和检验方法

项次	检 验 项 目	允许偏差(mm)	检 验 方 法
1	柱脚底座中心线与定位轴线的偏差	±5	尺量检查
2	立柱基准点标高	$-8 \sim +5$	尺量检查
3	立柱绕曲矢高	$H_s/1000$且不大于15	拉线检查
4	立柱铅垂度	$H_s/1000$	吊线坠或经纬仪、钢尺检查

注:H_s为立柱高度。

6.8.8 空冷式换热器管束安装质量允许偏差为±10mm。

检查方法:尺量检查。

6.8.9 空冷式换热器风筒安装质量允许偏差和检验方法应符合表6.8.9的规定。

表 6.8.9 空冷式换热器风筒安装质量允许偏差和检验方法

项次	检验项目	风机叶轮直径(mm)			检验方法
		1800～2000	2000～3000	3000～5000	
		允许偏差(mm)			
1	直径	±2	±3	±4	尺量检查
2	两端法兰盘平行度	4	5	6	
3	圆度	2	3	4	
4	风筒内壁与风机叶片尖端的间距	2～6	3～8	4～12	

6.8.10 空冷式换热器转动部件试运行质量验收标准应符合设备技术文件和设计文件的要求,当设备技术文件和设计文件无要求时,应符合表 6.8.10 的规定。

表 6.8.10 空冷式换热器转动部件试运行质量检验项目和检验方法

项次	检验项目	检验方法
1	盘车应转动灵活,无异常现象	观察检查
2	点动电机,转向应符合转向标记	观察检查
3	启动电机,连续运转时间不得小于 8h	查看试运转记录
4	运转过程中应检查驱动电机电流及温升等不应超过规定值	电流表检查、温度计检查
5	电机、减速箱等处应无异常杂音	观察检查
6	轴承温升不应超过 40℃且最终温度不超过 75℃	温度计检查
7	轴承振动应符合相关技术规定	振动仪检查
8	设备各紧固部位应无松动现象,应无明显振动	观察检查、扳手检查
9	转动噪声应小于 85dB	噪声仪检查

6.8.11 空冷式换热器安装及试运行检验批质量验收记录宜按本规范附录 M 执行。

6.8.12 空冷式换热器试压、清扫与封闭检验批质量验收记录宜按本规范附录 F 执行。

6.9 蒸汽喷射泵组及机架

6.9.1 蒸汽喷射泵组及机架的安装宜在终缩聚低聚物刮除器安装完毕并检查合格后进行。

6.9.2 蒸汽喷射泵组的安装宜按下列步骤进行：

    1 完成蒸汽喷射泵组下机架的安装,并进行临时固定；

    2 喷射器、冷凝器及弹簧支架分别就位；

    3 进行弹簧支架与下机架和冷凝器支耳之间的连接；

    4 喷射器与冷凝器组焊及调整完毕后,割开临时固定的焊接点。

6.9.3 蒸汽喷射泵组的总装顺序宜按照一级喷射器、第一冷却器、第二冷却器、二级喷射器以此类推。

6.9.4 蒸汽喷射泵组中喷射器与冷凝器之间的组焊和焊缝质量验收应符合设备技术文件的要求,当设备技术文件无要求时,其组焊和焊缝的质量验收应符合本规范第 6.2.2 条的规定。

6.9.5 机架的现场制作应符合本规范第 5 章的规定。

6.9.6 蒸汽喷射泵组与相关管道升温前应拆除各冷凝器支座下弹簧的挡块或销钉。

    检验方法:观察检查。

6.9.7 蒸汽喷射泵组机架上应清除妨碍升温过程中沿第一喷射器方向移动的任何障碍物。

    检验方法:观察检查。

6.9.8 蒸汽喷射泵组及机架安装质量允许偏差和检验方法应符合表 6.9.8 的规定。

表 6.9.8 蒸汽喷射泵组及机架安装质量允许偏差和检验方法

项次	检 验 项 目		允许偏差(mm)	检 验 方 法
1	一级喷射器入口管与低聚物刮除器出口管中心线同心度	纵向	±5	尺量、吊线检测
		横向	±5	

项次	检 验 项 目		允许偏差(mm)	检 验 方 法
2	标高		±10	水准仪检测
3	水平喷射器的水平度		1/1000	水平仪检测
4	大机架底部与滚轮接触面的水平度	纵向	1/1000	水平仪检测
		横向	1/1000	
5	各喷射器及冷凝器之间角度		3°	尺量、吊线、水准仪检测
6	各冷凝器支座下弹簧的铅垂度(载荷柱中心与弹簧罩筒中心的偏移量)		±3	尺量、观察检查

6.9.9 蒸汽喷射泵组及支架安装检验批质量验收记录宜按本规范附录 N 执行。

6.9.10 蒸汽喷射泵组试压、清扫与封闭检验批质量验收记录宜按本规范附录 F 执行。

6.10 预聚物和熔体过滤器

6.10.1 过滤器铅垂度的测量位置宜选择过滤器的各内筒表面。熔体过滤器标高测量位置宜选择熔体入口管口。

6.10.2 安装时应保证预聚物和熔体过滤器各内筒中心置于相对应的吊轨中心正下方。

6.10.3 预聚物和熔体过滤器用于热态滑动的支座与基础间的滑动面应清理干净。对于聚四氟乙烯滑动面,聚四氟乙烯垫片应完整地镶嵌在卧槽里面,并应高出卧槽 1mm~3mm。滑动端的螺母与设备支座板面间应留 1mm~3mm 的间隙,并应沿设备膨胀方向有 25mm~30mm 的滑动距离。预聚物和熔体过滤器滑动支座设备技术文件有特殊要求的,应按照设备技术文件进行安装。

　　检验方法:观察检查、尺量检查。

6.10.4 预聚物和熔体过滤器管口如有设备自带的弹簧,在过滤器和相关管道系统升温前应拆除弹簧的挡块或销钉。

检验方法:观察检查。

6.10.5 预聚物和熔体过滤器安装质量允许偏差和检验方法应符合表 6.10.5 的规定。

表 6.10.5　预聚物和熔体过滤器安装质量允许偏差和检验方法

项次	检验项目		允许偏差(mm)	检验方法
1	中心线	纵向(平行于吊轨方向)	±5	尺量、吊线检测
		横向(垂直于吊轨方向)	±3	
2	标高		±5	水准仪检测
3	铅垂度		1/1000	尺量、吊线检测

6.10.6 如果过滤器进出口三通阀为电动阀门,应进行单机试运行,并应符合设备技术文件的要求。

检验方法:根据设备技术文件和设计文件要求的内容及检查方法检查。

6.10.7 预聚物和熔体过滤器内筒的泄漏性试验压力、试验介质、验收合格标准应符合设备技术文件和设计文件的要求。

6.10.8 预聚物、熔体过滤器和电动阀门安装及试运行检验批质量验收记录宜按本规范附录 P 执行。

6.10.9 预聚物和熔体过滤器试压、清扫与封闭检验批质量验收记录宜按本规范附录 F 执行。

6.11　预结晶器、结晶器和预加热器

6.11.1 预结晶器、结晶器和预加热器宜按照切片工艺流程顺序进行安装,每一台设备的切片进出口管口中心线与相对应设备管口中心线应重合。

6.11.2 预加热器本体现场组焊时,应符合本规范第 6.2.2 条的规定。

6.11.3 预加热器内件安装应在预加热器组焊、找正、找平后进

行。内件安装质量验收应符合设备技术文件和设计文件要求的验收标准。

检验方法:按照设备技术文件和设计文件要求的内容和检验方法观察检查。

6.11.4 预结晶器、结晶器和预加热器安装质量允许偏差和检验方法应符合表 6.11.4 的规定。

表 6.11.4　预结晶器、结晶器和预加热器安装质量允许偏差和检验方法

项次	检 验 项 目		允许偏差(mm)	检 验 方 法
1	进出口管口与相对应设备管口中心线位置	横向	±3	尺量、吊线检测
		纵向	±3	
2	水平度(卧式设备)	横向	2/1000	水平仪检测
		纵向	1/1000	
3	铅垂度(立式设备)		1/1000	水准仪检测
4	支耳标高		±3	水准仪检测
5	方位(沿底座测量)		±10	尺量、吊线检测

6.11.5　结晶器的试运行应符合设备技术文件的要求,当设备技术文件无要求时,应按表 6.11.5 的规定。

表 6.11.5　结晶器试运行质量检验项目和检验方法

项次	检 验 项 目	检 验 方 法
1	手动盘车应灵活,无异常现象	观察检查
2	空载运转时间不应少于 2h,空载合格后应带料试运行,试运行时间不少于 1h	观察检查、查看试运转记录
3	设备润滑情况良好,齿轮箱、电机温度不超过 70℃	红外测温仪检查
4	电机电流正常,无明显波动	电流表检查
5	电机应无异常声响,振动幅度正常	观察检查、测振仪检查

6.11.6　预结晶器、结晶器和预加热器安装及结晶器的试运行检

验批质量验收记录宜按本规范附录 Q 执行。

6.11.7 预结晶器、结晶器和预加热器试压、清扫与封闭检验批质量验收记录宜按本规范附录 F 执行。

6.12　固相缩聚反应器及内件

6.12.1 反应器现场组焊时,应符合本规范第 6.2.2 条的规定。

6.12.2 反应器配套称重传感器组件安装质量验收应符合设备技术文件和设计文件的要求。

　　检验方法:观察检查、尺量检查并按设备技术文件和设计文件要求的内容逐项核对。

6.12.3 反应器内件安装应在反应器找正、找平后进行。内件安装质量验收应符合设备技术文件和设计文件的要求。

6.12.4 固相缩聚反应器安装质量允许偏差和检验方法应符合表 6.12.4 的规定。

表 6.12.4　固相缩聚反应器安装质量允许偏差和检验方法

项次	检验项目		允许偏差(mm)	检验方法
1	中心线位置	横向	±3	尺量、吊线检测
		纵向	±3	
2	支座标高		±3	水准仪检测
3	铅垂度(分段设备每段设备和组焊后的整体设备铅垂度)		1/1000	水准仪检测
4	方位(沿底座测量)		±10	尺量、吊线检测

6.12.5 固相缩聚反应器及内件安装检验批质量验收记录宜按本规范附录 R 执行。

6.12.6 固相缩聚反应器试压、清扫与封闭检验批质量验收记录宜按本规范附录 F 执行。

6.13　氮气净化单元

6.13.1 氮气净化单元中的空气交换器、水冷却器安装应按本规范第 6.5 节卧式容器及卧式换热器执行。

6.13.2 氮气净化单元中的干燥器、加热器、过滤器、PT 催化（氧化）反应器安装应按本规范第 6.6 节立式容器及立式换热器执行。

6.13.3 氮气净化单元中各设备内件安装应在设备主体找正、找平后进行。内件安装质量验收应符合设备技术文件和设计文件要求的验收标准。

6.13.4 氮气净化单元安装检验批质量验收记录宜按本规范附录 S 执行。

6.13.5 氮气净化单元试压、清扫与封闭检验批质量验收记录宜按本规范附录 F 执行。

6.14 预聚物输送泵、熔体输送泵

6.14.1 泵体的安装宜在相对应的反应器安装调整结束后进行。

6.14.2 泵体的中心标高应符合设计文件的规定。

6.14.3 泵体应采用临时支承固定，临时支承件待泵体进出口管道安装检验合格后拆除。临时支承件为碳钢时不得与泵体直接接触。

6.14.4 泵体水平检测基准应采用泵体进出口法兰面。

6.14.5 熔体输送泵出口法兰的连接螺栓和螺母应进行硬度检查。

检查数量：每个检验批（同制造厂、同型号规格、同时到货）抽取 2 套。

检验方法：检查产品质量证明文件，检查硬度检验报告。

6.14.6 预聚物输送泵及熔体输送泵进出口法兰的连接螺栓和螺母上油污和氧化皮等应清除干净，螺纹部分应涂抹少量高温防烧结剂。

检验方法：观察检查。

6.14.7 泵体附件的安装应符合随机技术文件的要求，泵体上连

接供应厂商自带管道的安装应符合现行国家标准《机械设备安装工程施工及验收通用规范》GB 50231 的有关规定。

检验方法:按现行国家标准《机械设备安装工程施工及验收通用规范》GB 50231 执行。

6.14.8 当预聚物、熔体泵体所连接的反应器及管道系统升温到操作温度后,应按设备技术文件、设备布置图及有关设计文件调整减速箱和电机组装机架的位置并固定,使联轴器的径向位移、轴线倾斜度和端面间隙符合设备技术文件的要求。

检验方法:用塞尺、平尺、百分表等检查。

6.14.9 预聚物输送泵、熔体输送泵安装质量允许偏差和检验方法应符合表 6.14.9 的规定。

表 6.14.9　预聚物及熔体输送泵安装质量允许偏差和检验方法

项次	检 验 项 目		允许偏差(mm)	检 验 方 法
1	泵体	纵向水平度	0.10/1000	水平仪检查
		横向水平度	0.20/1000	水平仪检查
		纵向位置	±2	尺量检查
		横向位置	±2	尺量检查
		标高	±2	尺量检查
2	机架水平度	纵向	1/1000	水平仪检测
		横向	1/1000	
3	机架位置、中心线标高	纵向	符合与泵体连接的联轴器角度及端部间隙要求	塞尺、平尺、百分表检查
		横向		
		标高		

注:机组及联轴器的检查在反应器、泵体及所连接管道达到操作温度时进行。

6.14.10 预聚物输送泵、熔体输送泵仅进行传动部分的试运行,运行时不应连接联轴器。运行验收标准应符合设备技术文件和设计文件的要求,当设备技术文件和设计文件无要求时,试运行质量检验项目和检验方法应符合表 6.14.10 的规定。

表 6.14.10 预聚物输送泵、熔体输送泵传动部分
试运行质量检验项目和检验方法

项次	检 验 项 目	检 验 方 法
1	盘车应转动灵活,无异常现象	观察检查
2	点动电机,转向应符合转向标记	观察检查
3	确认相关管线连接、润滑油等灌装后,将变频器输出设置为 5Hz,启动泵,以 2.5Hz/min 的频率递增,直至满负荷运转,满负荷运转 10min,再以 2.5Hz/min 的频率递减直至停止转动。再次启动将变频器设置在 25Hz,运转时间不少于 2h	查看试运转记录
4	升速降速过程中,应记录每个频率点的输出转速	查看试运转记录
5	运转过程中应检查驱动电机电流及温升等不应超过规定值	电流表检查、温度计检查
6	电机、减速箱等处应无异常杂音	观察检查
7	各连接密封点应无跑、冒、滴、漏现象	观察检查
8	内部各仪表显示应正常	观察检查
9	轴承温升不应超过 40℃且温度不超过 75℃	温度计检查
10	减速箱轴承振动应符合设计规定	振动仪检查
11	设备各紧固部位应无松动	观察检查、扳手检查
12	整机应无明显振动	观察检查
13	转动噪声应小于 85dB	噪声仪检查

6.14.11 预聚物输送泵、熔体输送泵安装及传动部分试运行检验批质量验收记录宜按本规范附录 T 执行。

6.15 给 料 器

6.15.1 给料器的安装质量检验项目和检验方法应符合表 6.15.1的规定。

表 6.15.1 给料器的安装质量检验项目和检验方法

项次	检 验 项 目	检 验 方 法
1	进出口法兰连接的法兰密封面和密封件不得有影响密封性能的划痕、斑点和缺陷	观察检查
2	进出口法兰应与其连接的设备管口或管道管口法兰同心,螺栓应能自由穿入。法兰平面之间应保持平行,其偏差不得大于法兰外径的0.15%,且不得大于2mm	观察检查和卡尺检查
3	法兰连接应使用同一规格螺栓,安装方向应一致。螺栓应对称紧固。螺栓紧固后应与法兰紧贴,不得有楔缝。所有螺母应全部拧入螺栓,紧固后的螺栓与螺母宜齐平	观察检查
4	给料器配套控制及密封附件接口的连接应满足设备技术文件的规定,并应固定牢固	观察检查
5	给料器内每对法兰之间或其他接头间应导线跨接	电阻值测量,检查管道静电接地测试记录
6	如果给料器进出口是软连接形式,软连接部件的组装、给料器支架的现场制作和安装应符合设备技术文件和设计文件的规定	根据设备技术文件和设计文件,观察检查

6.15.2 水平给料器的安装质量允许偏差和检验方法应符合设备技术文件的要求,当设备技术文件无要求时,应符合表6.15.2的规定。

表 6.15.2 水平给料器的安装质量允许偏差和检验方法

项次	检 验 项 目	允许偏差(mm)	检 验 方 法
1	给料器水平中心线	1°且全长≤2	尺量、吊线检测
2	给料器中心线水平度	0.5/1000	水平仪检测

6.15.3 以单台设备形式供货的旋转给料器的试运行宜按本规范

表 6.7.3 的规定。以成套设备形式供货的旋转给料器的试运行应符合设备技术文件的要求,当设备技术文件无要求时,可按本规范表 6.7.3 的规定。

6.15.4 水平给料器的试运行应符合设备技术文件和设计文件的要求。

6.15.5 给料器安装及试运行检验批质量验收记录宜按本规范附录 U 执行。

6.16 振 动 筛

6.16.1 振动筛的钢结构支架与计量秤钢结构支架应单独制作,不应共用。

6.16.2 振动筛支撑弹簧应垂直,弹簧支座与弹簧接触面应水平。

6.16.3 振动筛试运行结束后,所有紧固部位应复紧。

检验方法:小锤轻击螺母或扳手检查。

6.16.4 振动筛进出管口应用软连接,软连接件长度应符合设备技术文件要求。切片分离振动筛进口管上沿应与切片干燥器下料管无接触,且距离符合设备技术文件要求,切片分离振动筛出口与切片接料口的距离不应小于 100mm。

检验方法:观察检查。

6.16.5 振动筛安装质量允许偏差和检验方法应符合表 6.16.5 的规定。

表 6.16.5 振动筛安装质量允许偏差和检验方法

项次	检 验 项 目	允许偏差(mm)	检 验 方 法
1	支撑座高度	±1	水准仪检测
2	横向中心线位置	±2	尺量检测
3	纵向中心线位置	±2	尺量检测
4	支座之间水平度	1/1000	水准仪检测

6.16.6 单独供货的振动筛试运行质量检验项目和检验方法宜符

合表 6.16.6 的规定。以成套设备形式供货的振动筛的试运行应符合设备技术文件的要求,当设备技术文件无要求时,可按表 6.16.6的规定。

表 6.16.6　振动筛试运转质量检验项目和检验方法

项次	检 验 项 目	检 验 方 法
1	空载运转时间不应少于 2h,空载合格后应带料试运行,试运行时间不少于 1h	观察检查、查看试运转记录
2	电机应无异常声响及发热,振动幅度应正常	观察检查、温度计检查
3	带料运行达到额定能力时,正常料、异常料应正常分离	观察检查

6.16.7　振动筛安装及试运行检验批质量验收记录宜按本规范附录 V 执行。

6.17　PTA、PIA 称量器

6.17.1　安装在钢结构支架上的称量器,其钢支架应单独固定在结构混凝土梁上,钢支架现场制作应符合设计文件规定,其安装应符合本规范第 5 章的规定。

6.17.2　称量器的安装宜在其上下游设备安装合格后进行。

6.17.3　称量器安装质量允许偏差和检验方法应符合设备技术文件的要求,当设备技术文件无要求时,应符合表 6.17.3 的规定。

表 6.17.3　称量器安装质量允许偏差和检验方法

项次	检 验 项 目		允许偏差(mm)	检 验 方 法
1	中心线位置	纵向	±2	尺量检测
		横向	±2	
2	水平度	纵向	设备技术要求	水准仪检测
		横向	设备技术要求	
3	标高		±2	水平仪检测

6.17.4　称量器的试运行应符合设备技术文件的要求。

6.17.5 PTA、PIA 称量器安装及试运行检验批质量验收记录宜按本规范附录 W 执行。

6.18 二氧化钛研磨机

6.18.1 研磨机纵向水平度应以研磨机机筒外壁为测量基准,横向水平度应以机座上表面为基准。

6.18.2 研磨机安装质量允许偏差和检验方法应符合设备技术文件的要求,当设备技术文件无要求时,应符合表 6.18.2 的规定。

表 6.18.2 研磨机安装质量允许偏差和检验方法

项次	检 验 项 目		允许偏差(mm)	检 验 方 法
1	中心线位置	纵向	±10	尺量检测
		横向	±10	
2	水平度	纵向	0.1/1000	框式水平仪检测
		横向	0.2/1000	
3	标高		±10	尺量、水准仪检测

6.18.3 研磨机的单机试运行应符合设备技术文件的要求。

6.18.4 二氧化钛研磨机安装及单机试运行检验批质量验收记录宜按本规范附录 Y 执行。

6.19 二氧化钛离心机

6.19.1 离心机在吊运就位过程中宜采用随机配备的起吊架等专用辅助吊运工具。

6.19.2 离心机支座与减震器之间的组装应符合设备技术文件的要求。减震器应与其基础固定牢固。安装在混凝土地面(楼面)上的离心机基础底板应与结构预埋钢板焊接牢固。安装在钢结构上的离心机基础底板应与钢结构上钢板焊接牢固。

　　检验方法:根据设备图纸检查,观察检查,小锤轻击检查。

6.19.3 离心机安装质量允许偏差和检验方法应符合设备技术文

件的要求,当设备技术文件无要求时,应符合表 6.19.3 的规定。

表 6.19.3　二氧化钛离心机安装质量允许偏差和检验方法

项次	检 验 项 目		允许偏差(mm)	检 验 方 法
1	中心线	纵向(平行于吊轨中心线)	±10	尺量、吊线检测
		横向(垂直于吊轨中心线)	±5	
2	标高		±10	尺量、水准仪检测
3	立式离心机 主控制面水平度	纵向	0.1/1000	水平仪检测
		横向	0.2/1000	
4	卧式离心机 主控制面水平度	纵向	0.1/1000	水平仪检测
		横向	0.2/1000	

6.19.4　离心机的试运行应符合设备技术文件的要求。

6.19.5　二氧化钛离心机安装及试运行检验批质量验收记录宜按本规范附录 Z 执行。

6.20　PTA 管链输送器及投料槽

6.20.1　PTA 管链输送器及投料槽安装施工前应检查不锈钢输送管,其内表面应光滑,法兰连接面应平整,密封面应无划痕、压痕等损伤。

6.20.2　安装顺序应符合随机技术文件的要求。

6.20.3　各节管链组对应按照标定的编号顺序或标记进行,法兰间密封垫的安装及法兰的密封应按技术文件要求执行。连接螺栓在紧固前应加少量润滑脂。

　　检验方法:对照设备技术文件检查、观察检查、扳手检查。

6.20.4　每对法兰之间或其他接头间应导线跨接。

　　检验方法:电阻值测量,检查管道静电接地测试记录。

6.20.5　链条安装时应符合下列规定:

　　1　链条组装前应逐节清洗洁净,链条关节转动应灵活;

　　2　链条运行方向的指示箭头应与旋转方向指示箭头一致;

3 垂直式管链输送上料管穿链时应从下往上穿链；

4 应检测链条板与输送管内壁之间的最小间隙及偏差、输送管内壁圆度及偏差,其数据应满足设备技术文件要求。

6.20.6 组装驱动装置、链轮和拉紧链轮时,应符合下列规定：

1 驱动装置应牢固地安装在基础或机架上。

2 驱动装置链轮和拉紧链轮与输送机中心的安装质量允许偏差和检验方法应符合表 6.20.6 的规定。

表 6.20.6　驱动装置链轮和拉紧链轮与输送机中心
安装质量允许偏差和检验方法

项次	检 验 项 目	允许偏差(mm)	检 验 方 法
1	链轮横向中心线与输送机纵向中心线的水平位置	±1	尺量检测
2	首尾两链轮轴与输送机纵向中心线的铅垂度	1/1000	水平仪检测
3	链轮轴的水平度	0.5/1000	水平仪检测
4	大、小链轮中心面的位置	≤两链轮中心距的2%	尺量检测

6.20.7 组装尾部张紧装置的安装质量检验项目和检验方法应符合表 6.20.7 的规定。

表 6.20.7　尾部张紧装置安装质量检验项目和检验方法

项次	检 验 项 目	检 验 方 法
1	张紧装置调节应灵活,链条松紧应适度,尾部张紧装置已用的行程不应大于全行程的50%	尺量检查
2	张紧链轮拉紧后,其轴线与输送机纵向中心线应垂直,偏差不应大于2mm/1000mm	尺量检查
3	尾部张紧装置应牢固地固定在基础或机架上	观察检查

6.20.8 垂直或与垂线有一定角度的管链在各结构层或钢结构处的固定支架应紧固。水平管链的支撑应紧固。水平管链上方的投料槽支腿应牢固固定在基础上。

6.20.9 管链输送电机及减速机的安装应符合现行国家标准《机械设备安装工程施工及验收通用规范》GB 50231 的有关规定。

6.20.10 水平管链上方的投料槽下料口中心与吊轨中心位置允许偏差应为±10mm。

检验方法:线坠及尺量检查。

6.20.11 不同方向管链之间的连接部件应按照设计文件安装,法兰连接应紧密。

检验方法:观察检查。

6.20.12 PTA 管链输送器及投料槽的试运行应符合设备技术文件的要求。

6.20.13 PTA 管链输送器、投料槽安装及试运行检验批质量验收记录宜按本规范附录 AA 执行。

6.21 切片输送器

6.21.1 切片输送器宜在对应的切片料仓安装合格后进行安装。

6.21.2 切片输送器进口法兰应与相对应的切片料仓出口法兰中心线重合。

6.21.3 安装前应检查切片输送器进口法兰的平整度,法兰密封面不得有影响密封性能的划痕、斑点等缺陷。

检验方法:观察检查。

6.21.4 自切片料仓出口法兰起,每对法兰之间或其他接头间应导线跨接。

检验方法:电阻值测量,检查管道静电接地测试记录。

6.21.5 切片输送器安装质量允许偏差和检验方法应符合表6.21.5的规定。

表 6.21.5 切片输送器安装质量允许偏差和检验方法

项次	检 验 项 目		允许偏差(mm)	检 验 方 法
1	进口法兰中心线与相对应管口的中心线位置	纵向	±1	线坠、尺量检测
		横向	±1	

项次	检 验 项 目	允许偏差(mm)	检 验 方 法
2	标高	±3	尺量、水准仪检测
3	进口法兰水平度	1/1000	水平仪检测
4	出料口方位(必要时)	10	尺量、水准仪检测

6.21.6 切片输送器上带有旋转给料器时,旋转给料器的安装应符合本规范第 6.15 节的有关规定。

6.21.7 切片输送器安装检验批质量验收记录宜按本规范附录 AB 执行。

6.22 切片包装机

6.22.1 切片包装机宜先安装机架,再安装计量槽(盘)、输送带、风机、溜槽等辅助设备。

6.22.2 机架的组装应符合设备技术文件和本规范第 5 章的规定。

6.22.3 自切片料仓出口法兰起,每对法兰之间或其他接头间应导线跨接。

　　检验方法:电阻值测量,检查管道静电接地测试记录。

6.22.4 切片包装机的安装质量允许偏差和检验方法应符合表 6.22.4 的规定。

表 6.22.4 切片包装机安装质量允许偏差和检验方法

项次	检 验 项 目		允许偏差(mm)	检 验 方 法
1	中心线	纵向	±10	尺量检测
		横向	±10	
2	标高		±10	尺量、水准仪检测
3	底座水平度	纵向	1/1000	水准仪检测
		横向	2/1000	

6.22.5 切片包装机的试运行应符合设备技术文件和设计文件的

要求。

6.22.6 切片包装机安装及试运行检验批质量验收记录宜按本规范附录 AC 执行。

6.23 水下切粒机

6.23.1 切粒机安装应符合设备技术文件和设计文件的要求,当设备技术文件无要求时,铸带头、水下切粒机和双过滤器水分配器、长料预分离器和带水切片输送管道及支架的安装应符合本规范第 6.23.2 条～第 6.23.5 条的规定。

6.23.2 铸带头和水下切粒机应在常温状态下进行预安装,工作温度下应再次进行调整。

6.23.3 铸带头的安装应符合下列规定:

1 应按照设备技术文件或设计文件的要求现场制作铸带头固定支架并应进行铸带头的预定位。

2 铸带头安装质量允许偏差和检验方法应符合表 6.23.3 的规定。

表 6.23.3 铸带头安装质量允许偏差和检验方法

项次	检 验 项 目	允许偏差(mm)	检 验 方 法
1	铸带头出口中心标高	±5	尺量检测
2	铸带头出口中心线在全长度上与水平面距离	±0.2	尺量、水准仪检测
3	铸带头出口中心线与水平面的角度	±0.5°	尺量、线坠、角度尺检测
4	铸带头出口中心线与横向定位中心线的角度	±0.5°	尺量、线坠、角度尺检测
5	铸带头中心线与水下切粒机中心线的同心度	±2	尺量检测

注:工作温度下铸带头的各项安装指标应符合规定。

6.23.4 水下切粒机和双过滤器水分配器安装质量检验项目和检验方法应符合表6.23.4-1的规定。切割室安装质量允许偏差和检验方法应符合表6.23.4-2的规定。水下切粒机和双过滤器水分配器的试运行质量验收应符合设备技术文件和设计文件的要求。

表6.23.4-1 水下切粒机和双过滤器水分配器安装验收标准

项次	检验项目	检验方法
1	切割室的轴线与导向槽板平行,导向槽板与后轴之间的间隙在整个宽度上一致,宽度值符合设备技术文件的规定	查阅设备文件,尺量检查
2	导向槽板底边延长线与后进料轴顶部相切或略高	专用工具检查
3	按照技术文件要求组装双过滤器水分配器,其安装位置、方位应符合设备图纸或设计文件规定	查阅设备图纸或设计文件,观察检查

表6.23.4-2 切割室安装质量允许偏差和检验方法

项次	检验项目	允许偏差(mm)	检验方法
1	轴线水平度	0.5/1000	水平仪检测
2	轴线与铸带头及导向槽板中心线垂直度	±0.5°	尺量检测
3	导向槽板与后轴之间的间隙	±0.2	尺量检测
4	切割室中心与切割室吊轨中心线	±5	线坠、尺量检测

注:工作温度下切割室的各项安装指标应符合上述规定。

6.23.5 长料预分离器、带水切片输送管道和支架安装质量检验项目和检验方法应符合表6.23.5-1的规定。长料预分离器和带水切片输送管道安装质量允许偏差和检验方法应符合表6.23.5-2的规定。长料预分离器和带水切片输送管道的试运行应符合设备技术文件和设计文件的要求。

表 6.23.5-1　长料预分离器、带水切片输送管道和
支架安装质量检验项目和检验方法

项次	检 验 项 目	检 验 方 法
1	长料预分离器上沿高度与切割室后的出料斗出口的高度差应符合设备技术文件的规定	查阅设备图纸或设计文件,观察检查
2	带水切片输送管道连接口应密封良好,无漏水现象	观察检查
3	带水切片输送管道支架应均匀分布在管道沿程中,运行时管道应无明显振动及弯曲	观察检查

表 6.23.5-2　长料预分离器和带水切片输送管道
安装质量允许偏差和检验方法

项次	检 验 项 目	允许偏差(mm)	检 验 方 法
1	长料预分离器与切割室中心线	±1	尺量检测
2	长料预分离器上沿高度与切割室后的出料斗出口的高度差	±1	尺量检测
3	带水切片输送管道的倾斜度	±1°	观察检查、尺量检测

6.23.6 切片干燥机的安装、调整及试运转应符合设备技术文件和设计文件的要求。

检验方法:根据设备技术文件和设计文件逐条检查。

6.23.7 切片振动筛的安装应符合本规范第6.16节的规定。

6.23.8 水下切粒机的安装及试运行检验批质量验收记录宜按本规范附录 AD 执行。

6.24　卧式缩聚反应器

6.24.1 鞍座型反应器安装顺序、安装内容及要求宜按表6.24.1-1的规定执行,安装质量允许偏差和检验方法应符合表6.24.1-2的规定。

表 6.24.1-1　鞍座型反应器安装顺序、安装内容及要求

顺序	安 装 内 容	安 装 要 求
1	将钢支架临时固定在鞍座上	临时固定件不应损害鞍座整体结构,应满足反应器与钢支架的整体吊装和平移就位,就位后将临时固定件拆除
2	反应器吊装就位	按照本规范第4章相关规定
3	反应器升起	在鞍座的侧板上焊接专用支撑点,用千斤顶升起反应器。顶点与鞍座的幅板在同一个平面内。各顶点同步顶起
4	将固定底板、导向底板和滑动(滚动)底板就位、加垫铁	按照反应器技术文件要求: (1)固定底板用螺栓连接在反应器固定鞍座下; (2)导向块焊接在反应器滑动端鞍座中间,导向槽套入导向块中,导向方向与反应器中心线平行; (3)滑动或滚动式底板放在反应器滑动端鞍座下,滚动式底板上滚轮轴方向应垂直于反应器中心线; (4)如果鞍座下有钢支架,应先将钢支架与鞍座分离,固定底板、导向底板和滑动(滚动)底板放在钢支架和鞍座之间,在各底板下加垫铁; (5)反应器放下
5	调整主轴轴头的水平度	通过调整垫铁,达到主轴水平度安装要求
6	固定底板、导向槽和滑动底板与结构预埋钢板焊接	按照本规范第3.5节相关规定及反应器技术文件规定,将固定底板、导向槽和滑动(滚动)底板与结构预埋钢板(或钢支架)焊接 如果鞍座下有钢支架,钢支架与结构预埋钢板应焊接牢固
7	现场组焊反应器汽包	按照设备图纸规定及本规范第6.2.2条规定
8	传动系统机架就位	按设计文件规定就位
9	传动系统冷态对中	以反应器主轴为基准,调整减速机位置达到同轴度要求。冷态对中结束后,应将减速机、电机底板用定位销定位。联轴节冷态对中偏差不大于联轴节允许偏差的10%

表 6.24.1-2　鞍座型反应器安装质量允许偏差和检验方法

项次	检 验 项 目	允许偏差(mm)	检 验 方 法
1	中心线位置	±5	尺量检测、水准仪检测
2	反应器中心线角度	±0.5/1000	尺量检测、水准仪检测
3	反应器支座标高	±10	尺量检测、水准仪检测
4	主轴与传动轴的水平度	1.0/1000	水平仪检测
5	导向块与反应器中心线平行度	±1.0/1000	观察检查、尺量检查、水准仪检查
6	导向块与导向槽垂直方向间隙及偏差	25±5	尺量检测
7	导向块与导向槽侧壁间隙	±1.0	尺量检测
8	滚动式底板上滚轮轴方向与反应器中心线垂直度	±1.0/1000	尺量检查、水准仪检查
9	冷态时反应器主轴与减速箱轴的同轴度	最大允许偏差的 10%以内	百分表法检测

6.24.2　机架型反应器安装顺序、安装内容及要求宜按表 6.24.2-1 的规定执行,安装质量允许偏差和检验方法应符合表 6.24.2-2 的规定。

表 6.24.2-1　机架型反应器安装顺序、安装内容及要求

顺序	安 装 内 容	安 装 要 求
1	组装机架与反应器(机架和反应器连接整体出厂,按照要求检查组装质量)	调整机架与反应器位置,符合技术条件要求将机架两组结合件的连接螺栓、螺母紧固,将定位销锁死,使机架成为一个整体,满足反应器与机架的整体吊装和平移就位
2	反应器及机架吊装就位	按照本规范第 4 章相关规定
3	反应器(连同机架)顶起	在机架的立柱上焊接专用牛腿,用千斤顶顶起。各顶点同步顶起

顺序	安 装 内 容	安 装 要 求
4	在机架地脚板下加垫铁	按照本规范第3.5节相关规定
5	调整主轴轴头的水平度	调整垫铁,使主轴轴头水平度和机架4个托板的水平度达到技术文件规定的安装要求
6	机架立柱固定在基础上	按照本规范第3.5节相关规定,将垫铁、机架立柱地脚板与预埋钢板焊接
7	固定机架之间的连接	点焊机架两组组合件的连接螺栓和螺母,将连接板与机架组合件的型钢焊接
8	传动系统机架就位	支架应留有足够调整余地,满足反应器热态轴向和径向的热膨胀
9	传动系统冷态对中	以反应器主轴伸为基准,调节减速机位置达到同轴度要求。冷态对中结束后,应将减速机、电机底板用定位销定位,联轴节冷态对中偏差不大于联轴节允许偏差的10%
10	松开反应器耳座的固定螺栓	松开反应器耳座的固定螺栓1mm~3mm

表 6.24.2-2　机架型反应器安装质量允许偏差和检验方法

项次	检 验 项 目	允许偏差(mm)	检 验 方 法
1	中心线位置	±5	尺量检测、水准仪检测
2	中心线角度	±0.5/1000	尺量检测、水准仪检测
3	机架标高	±10	尺量检测、水准仪检测
4	主轴的水平度	1.0/1000	水平仪检测
5	冷态时反应器主轴与减速箱轴的同轴度	最大允许偏差的10%以内	百分表法检测

6.24.3 反应器的手动和电动盘车、升温过程中的盘车及热态对中安装要求应符合表6.24.3-1的规定。电动盘车检验项目和检

验方法应符合表 6.24.3-2 的规定。

表 6.24.3-1　反应器的手动和电动盘车、升温过程中
的盘车及热态对中安装要求

项次	安 装 项 目	安 装 要 求
1	反应器冷态手动盘车	手动盘车前,先连接反应器至润滑油及密封液站之间的管道,并运行润滑油及密封液站,手动盘车应转动轻便
2	反应器冷态电动盘车	电动盘车前,在反应器内滑动轴承上加少量硅油,电动盘车至少运行 30min,各转动部件应无异常声响
3	反应器升温过程中的盘车	反应器升温过程中,应按照设计文件规定的间隔和主轴转动方向进行手动盘车
4	反应器热态对中校核	反应器升温至工作温度,对冷态对中结果进行复测,并进行调整,应满足技术文件的规定值

表 6.24.3-2　电动盘车检验项目和检验方法

项次	检 验 项 目	检 验 方 法
1	点动电机,转向应符合转向标记	观察检查
2	启动电机,空载连续运转时间不应小于 2h	查看试运行记录
3	连接联轴器后,连接运转时间不应少于 30min	查看试运行记录
4	运转过程中应检查驱动电机电流及温升等不应超过规定值	电流表检查、温度计检查
5	电机、减速箱等处应无异常杂音	观察检查
6	各连接密封点应无跑、冒、滴、漏现象	观察检查
7	轴承温升不应超过 40℃且温度不超过 75℃,轴承振动应符合设计规定	温度计检查、振动仪检查
8	设备各紧固部位应无松动现象	观察检查、扳手检查
9	整机应无明显振动	观察检查
10	转动噪声应小于 85dB	噪声仪检查

6.24.4 反应器内测量仪表专用套筒的焊接应符合本规范第6.2.5条的规定。

6.24.5 卧式缩聚反应器安装及盘车检验批质量验收记录宜按本规范附录 AE 执行。

6.25 低聚物刮除器

6.25.1 低聚物刮除器安装应符合表 6.25.1 的规定。

表 6.25.1　低聚物刮除器安装要求

项次	安装项目	安装要求
1	调整或复核 4 个弹性支座高度	按照设计图纸规定的高度调整或复核 4 个弹性支座的高度尺寸。4 个弹性支座的压缩量应一致
2	放置 4 个弹性支座并调整水平度和 4 个支座之间的高度差	将 4 个弹性支座放置在设计图纸规定的位置上，用垫铁调整 4 个弹性支座本身的水平度，4 个弹性支座之间高度应一致
3	连接滑板与基础架	按照设计图纸规定，用螺栓连接弹性支座顶部的滑板与基础架底板
4	将基础架放置在弹性支座上	按照设计图纸规定，将已经连接有滑板的基础架放置在 4 个弹性支座上部，滑板底部与弹性支座顶部垫板之间应光滑接触，4 个弹性支座及基础架位置与低聚物刮除器中心线偏移角度符合设计文件规定
5	将设备卧式段筒体与基础架连接	将设备卧式段筒体放在基础架上，可在基础架垫板上加垫铁，保证卧式段筒体轴向及径向水平。用紧固件将鞍座与基础架的垫板相连，并锁紧固定端鞍座的连接螺栓，松开滑动端的连接螺栓 1mm～3mm。调整后按本规范第 3.5 节相关内容，将垫铁与基础架垫板焊接
6	组焊设备立式筒体段	按照设计图纸规定及本规范第 6.2.2 条规定进行立式筒体段的组焊。立式筒体段管口方位应符合设计文件的规定

项次	安 装 项 目	安 装 要 求
7	安装减速机机架及减速机和电机	按照设计图纸规定固定减速机机架及减速机和电机,减速机轴伸和低聚物刮除器主轴应同心,安装应符合现行国家标准《机械设备安装工程施工及验收通用规范》GB 50231 的相关规定
8	安装密封罐、连接密封液管路	按照设计图纸规定在减速机机架上固定立柱、固定密封罐、连接密封液管路,密封液站管路的安装应符合现行国家标准《机械设备安装工程施工及验收通用规范》GB 50231 的相关规定
9	固定弹性支座底板	按照设计图纸规定及本规范第3.5节相关内容,将弹性支座底板、垫铁与基础结构预埋钢板焊接
10	松开弹性支座上用于紧固耳盘与底板的紧固件上的锁紧	在低聚物刮除器系统升温前,将固定耳盘和底板之间相互位置的锁紧螺母松开至螺纹的最上端

6.25.2 聚合物刮除器安装质量允许偏差和检验方法应符合表6.25.2 的规定。

表 6.25.2 聚合物刮除器安装质量允许偏差和检验方法

项次	检 验 项 目		允许偏差(mm)	检 验 方 法
1	卧式段筒体及垂直段中心线位置		±3	尺量检测、水准仪检测
2	卧式段中心线角度		±0.5/1000	尺量检测、水准仪检测
3	标高		±10	尺量检测、水准仪检测
4	弹性支座本体安装水平度	纵向	1/1000	水平仪检测
		横向	1/1000	
5	4个弹性支座上表面高度差		±0.5	水准仪检测
6	4个弹性支座在基础架下的位置		±1	尺量检测

项次	检 验 项 目		允许偏差(mm)	检 验 方 法
7	卧式段筒体水平度	纵向	1.5/1000	水平仪检测
		横向	2.0/1000	
8	立式段筒体管口方位		±10	吊线、尺量检测
9	立式段筒体铅垂度		1/1000	水准仪检测
10	聚合物刮除器主轴与减速机轴伸的同心度		最大允许偏差的10%以内	百分表法检测

注:方位沿垂直段底部圆周测量。

6.25.3 低聚物刮除器的试运行应在轴承润滑管路接通并有润滑液的情况下进行,试运行时间不应少于30min。低聚物刮除器转动试运行检验批质量验收记录宜按本规范附录L执行。

6.25.4 低聚物刮除器试压、清扫与封闭检验批质量验收记录宜按本规范附录F执行。

6.25.5 低聚物刮除器安装检验批质量验收记录宜按本规范附录AF执行。

7 管 道 安 装

7.1 管道安装工程的施工

7.1.1 热媒管道及用热媒加热的夹套外管,其焊缝的底层宜采用氩弧焊。

7.1.2 夹套管的预制工作应在清洁、避风、环境温度大于 0℃ 的场所进行,管壁厚度大于 8mm 的夹套内管,其坡口的加工宜采用机械加工。

7.1.3 输送酯化物、聚合物熔体的夹套内管,其焊缝的底层应采用氩弧焊。

7.1.4 管道和设备上的唇焊垫片安装时暂时不应焊接唇部分,应待进行真空试验合格后再焊接。

7.1.5 切片气力输送管道的切割和坡口宜采用机械加工法。当采用热加工方法时,宜采用等离子切割方法。

7.1.6 切片气力输送管道的管子或管件对接焊缝应采用氩弧焊或能保证底部焊接质量的其他焊接方法,内表面焊缝应平整光滑,内壁错边量不应超过母材厚度的 10%,且不应大于 0.5mm。

7.1.7 切片气力输送管道的法兰连接处应按照设计文件要求组对,采用非标插焊法兰时,法兰安装应无错边,垫片应在槽内放正,法兰间应保持平行,其偏差不得大于法兰外径的 0.15%,且不得大于 2mm,管子轴心应对正。

7.1.8 切片气力输送管道上的每对法兰之间、管道与仪表阀门及设备连接的法兰之间或其他接头间应设静电跨接。

7.1.9 聚酯设备工程中夹套管的安装应符合设计文件要求,并应符合现行行业标准《夹套管施工及验收规范》FZ 211 的有关规定。

7.1.10 热媒管道及热媒加热的夹套外管宜进行气压试验。液相热媒管道可用液相热媒作为试验介质进行液压试验,不应以水为介质进行压力试验。

7.1.11 润滑油及密封液站至反应器之间的管路安装施工应符合现行国家标准《机械设备安装工程施工及验收通用规范》GB 50231的有关规定。

7.1.12 管道工程施工应符合现行国家标准《工业金属管道工程施工规范》GB 50235 的有关规定。

7.2 管道安装工程的质量验收

7.2.1 管道安装质量验收应符合现行国家标准《工业金属管道工程施工质量验收规范》GB 50184 的有关规定。

7.2.2 夹套管施工质量验收应符合现行行业标准《夹套管施工及验收规范》FZ 211 的有关规定。

7.2.3 润滑油及密封液站至反应器之间的管道安装质量验收应符合现行国家标准《机械设备安装工程施工及验收通用规范》GB 50231的有关规定。

7.2.4 切片气力输送管道的施工安装质量应满足设备技术文件的要求。

8 电气安装

8.1 电气设备及线缆敷设

8.1.1 电机控制中心配电柜、变频器柜、控制柜等安装与质量验收应符合现行国家标准《建筑电气工程施工质量验收规范》GB 50303的有关规定。

8.1.2 电线电缆导管的安装与质量验收应符合现行国家标准《1kV及以下配线工程施工与验收规范》GB 50575的有关规定。

8.1.3 位于爆炸性气体危险环境和爆炸性粉尘危险环境的电气设备及线路的安装应符合现行国家标准《电气装置安装工程 爆炸和火灾危险环境电气装置施工及验收规范》GB 50257的有关规定。

8.1.4 电缆桥架安装应符合下列规定:

1 电缆桥架不宜平行敷设于热力管道正上方和易燃易爆液体管道的正下方,且与易燃易爆液体管道和热力管道平行布置时,净距离应大于0.5m,与易燃易爆液体管道和热力管道交叉布置时,净距离应大于0.5m,热力管道应采取绝热保护措施;

2 电缆桥架在穿过防火墙、防火楼板及不同爆炸危险区域时,应采取防火封堵,且封堵材料的耐火时限不得低于所穿墙、楼板的耐火时限;

3 电缆桥架内同时布置动力线与信号线时,应用隔板分隔成动力线敷设区和信号线敷设区;

4 配线规格应符合设计要求,不得用普通线缆替代屏蔽线缆使用。

8.1.5 沿电缆桥架水平敷设的电缆,应在电缆首末两端、转弯两侧及每隔5m~10m处进行固定。

8.1.6 电线、电缆敷设应排列整齐,且动力线与信号线应分槽或分区敷设,抗干扰措施应符合设计文件的要求。

8.1.7 电缆桥架内的电缆总截面积应小于电缆桥架净横截面面积的 40%。

8.1.8 在电缆桥架或汇线槽弯曲处应垫电线保护绝缘衬垫。

8.1.9 电缆在桥架或汇线槽出线口无专门护口时,应对导线采取相应的保护措施。

8.1.10 电缆桥架内的电线电缆不应有中间接头。

8.1.11 在电线电缆管道、终端头处应设置标志牌,标志牌的内容应符合下列规定:

    1 标志牌应注明线路编号;

    2 并联使用的电缆应注明顺序号;

    3 字迹应清晰、不脱落;

    4 腐蚀性场所应采取防腐措施;

    5 标志牌规格宜统一,挂装应牢固。

8.1.12 每台电动机或控制设备的主回路、控制回路与柜体之间的绝缘电阻不应小于 $0.5M\Omega$。用兆欧表测试时,对不能耐受兆欧表电压的元器件,应对地短接或拆除。

8.1.13 多股软导线应采用冷压接头连接,压接点应牢固。

8.1.14 电缆及防火电缆的敷设及安装应符合设计要求。电缆敷设应远离高温管道,当与高温管道的净距不能满足要求时,应采取相关隔离、隔热措施。

8.1.15 机械电气设备安装应符合现行国家标准《机械电气安全 机械电气设备 第 1 部分:通用技术条件》GB 5226.1 的有关规定。

8.2 电气设备引出端子的接线

8.2.1 电气设备引出端子的接线应符合下列规定:

    1 接线应正确,固定应牢靠;

2 电线或电缆芯线端部均应正确标明回路编号，每个编号的字母阅读方向应一致，字迹应清晰、不脱落；

3 电气柜、机台内的电缆或导线应排列整齐，且不应交叉，连接端子不得施加机械应力；

4 电线电缆的绝缘护套层应与电线电缆一起引入电气柜或机台内，并应固定。

8.2.2 冷压接线端头时，端头、压模的规格应与线芯的截面相一致，端头与端子应匹配。

8.3 接地与接地线

8.3.1 设备及管道的接地安装应符合设计要求。

8.3.2 正常情况下不带电的金属设备均应可靠接地（PE）。

8.3.3 工艺设备与接地点相连接的接地导线应采用铜导线。

8.3.4 电气设备元器件安装在门、盖或面板上时应就近与配电柜采用保护接地导线连接。

8.3.5 接地固定螺栓应采用镀锌螺栓，并应设防松螺帽或防松垫圈。

8.3.6 接地方式应符合现行国家标准《建筑电气工程施工质量验收规范》GB 50303 的有关规定，还应符合下列规定：

1 每个接地端子应连接单独的接地线，并应以并联的方式与接地干线相连接，不应相互串联接地；

2 不应使用金属软管、保温管金属外皮或金属网作接地线。

8.3.7 防静电接地应符合下列规定：

1 防静电接地装置可与其他电气设备共用同一个接地装置；

2 设备、机组、管道等防静电接地线应单独与接地体或接地干线相连，不应相互串联接地；

3 防静电接地线应连接在设备、机组等装置的接地螺栓上。

8.4 防雷设施和防雷接地装置

8.4.1 接闪器、引下线的安装及接地装置的接地电阻值均应符合设计要求。

8.4.2 屋顶工艺金属设备应分别与屋顶接闪带或接地预留端子就近连通。

8.4.3 接地装置的安装与质量验收应符合现行国家标准《电气装置安装工程 接地装置施工及验收规范》GB 50169 的有关规定。

8.4.4 接闪器、引下线和接地装置的安装与质量验收应符合现行国家标准《建筑物防雷工程施工与质量验收规范》GB 50601 的有关规定。

9 仪表及控制系统安装

9.1 现 场 仪 表

9.1.1 现场仪表的安装应符合现行国家标准《自动化仪表工程施工及质量验收规范》GB 50093 的有关规定,还应符合下列规定:

1 除设计文件特殊说明外,温度计套管的安装应逆向物料流向,温度计套管与管道呈倾斜角度安装时,倾斜角度宜为 30°～45°,插入深度宜为 135mm～150mm,温度计套管在弯头上安装时,其轴线应与管道轴线重合;

2 乙二醇真空系统降液管上温度计套管安装方向应顺向物料流向,插入深度宜为 60mm～80mm;

3 测量固体物料或含有易挂结杂质物料的温度时,温度计套管应倾斜安装,并应顺向物料流向;

4 反应器气相系统及真空系统的压力取源部件应倾斜向上安装,导压管线应倾斜向上无死角,变送器安装位置应高于取压点;

5 音叉开关安装时两个叉体应处于同一高度,测量固体物料并在设备侧面安装时,管口宜向上倾斜 15°～30°;

6 安装在反应器内的浮筒液位计,浮筒底部应高于盘管上沿 50mm～100mm,浮筒与防波管之间的距离在浮筒环向各处均不应小于 15mm;

7 采用吹气式差压变送器测量反应器液位时,插入到设备内的吹气管顶部距离设备底部不应小于 200mm,距离加热盘管上沿不应小于 100mm,吹气管顶部应切削成斜坡状,设备内有搅拌或吹气管插入过长时应采取固定措施;

8 安装在反应器上的带毛细管的双法兰液位变送器,其毛细管的敷设应采取保护及隔热措施,弯曲半径不应小于 50mm,与绝热设备的距离不宜小于 100mm,变送器的安装高度不宜高于下部取压口;

9 速度传感器应安装在固定的支架上;

10 振动扭矩式黏度计应在管道吹扫并升温至工作温度后再进行安装;

11 振动扭矩式黏度计的信号线应采用穿线管或托盘单独敷设,信号直接接至黏度计转换器的端子上;

12 射线仪表放射源的安装应在放射源周围的安装工程全部结束后进行,并应由供货商指派专业人员进行安装。

9.1.2 现场仪表的安装质量验收应符合现行国家标准《自动化仪表工程施工及质量验收规范》GB 50093 的有关规定,还应符合表 9.1.2 的规定。

表 9.1.2　现场仪表安装质量检验项目和检验方法

项次	检 验 项 目	检 验 方 法
1	管道上安装温度计套管的安装角度和插入深度应符合本规范第 9.1.1 条第 1 款～第 3 款的规定	观察检查、尺量检查
2	反应器气相系统及真空系统的压力取源部件及变送器安装应符合本规范第 9.1.1 条第 4 款的规定	观察检查
3	音叉物位开关安装应符合本规范第 9.1.1 条第 5 款的规定	观察检查、尺量检查
4	浮筒液位计安装应符合本规范第 9.1.1 条第 6 款的规定	观察检查、尺量检查
5	吹气式差压变送器安装应符合本规范第 9.1.1 条第 7 款的规定	观察检查、尺量检查
6	带毛细管的双法兰液位变送器安装应符合本规范第 9.1.1 条第 8 款的规定	观察检查、尺量检查

续表 9.1.2

项次	检 验 项 目	检 验 方 法
7	速度传感器应安装在固定的支架上	观察检查
8	振动扭矩式黏度计安装应符合本规范第 9.1.1 条第 10 款～第 11 款的规定	观察检查

9.2 控 制 系 统

9.2.1 计算机控制系统的安装,应在确认其安装环境满足设备技术文件的要求后进行。

9.2.2 计算机控制系统的接地方式、施工方法、接地电阻值应符合设备技术文件和设计文件的规定。

9.2.3 计算机控制系统及中央控制室内计算机及相关硬件设备的安装与质量验收应符合现行行业标准《石油化工仪表工程施工技术规程》SH/T 3521 的有关规定。

10 绝热、涂料防腐蚀安装

10.0.1 设备和管道绝热工程的施工应符合现行国家标准《工业设备及管道绝热工程施工规范》GB 50126 的有关规定，还应符合下列规定：

1 操作温度高于 250℃ 的设备上人孔、法兰连接处、仪表件连接处及管道上法兰连接处、仪表件连接处、阀门阀盖处的保温宜待紧固件热紧后再补做保温；

2 真空系统管道上法兰连接处的保温宜待真空试验合格后再补做保温；

3 预聚物泵体、熔体输送泵体处在升温过程中宜做临时性保温，待投料前再补做正式保温。

10.0.2 设备和管道绝热工程的施工质量验收应符合现行国家标准《工业设备及管道绝热工程施工质量验收规范》GB 50185 的有关规定。

10.0.3 钢制设备、管道及钢结构的外表面涂料防腐蚀工程的施工应符合现行行业标准《石油化工涂料防腐蚀工程施工技术规程》SH/T 3606 的有关规定。

10.0.4 钢制设备、管道及钢结构的外表面涂料防腐蚀工程施工质量验收，应符合现行行业标准《石油化工涂料防腐蚀工程施工质量验收规范》SH/T 3548 的有关规定。

附录 A 聚酯及固相缩聚设备工程安装分项工程和检验批

A.0.1 聚酯装置设备工程安装分项工程和检验批应符合表A.0.1的规定。

表 A.0.1 聚酯装置设备工程安装分项工程和检验批

分 项 工 程	检 验 批
泵类设备	整装离心泵(屏蔽泵)安装及试运行
	整装螺杆泵安装及试运行
	整装液环泵安装及试运行
	整装隔膜泵安装及试运行
	整装齿轮泵安装及试运行
风机类设备	整装轴流通风机安装及试运行
起重类设备	电动葫芦安装及试运行
	气动葫芦安装及试运行
卧式酯化反应器、卧式储槽类设备(带搅拌器)	卧式容器及卧式换热器安装
	设备试压、清扫与封闭
	立式搅拌器安装
	立式搅拌器试运行
热媒蒸发器	卧式容器及卧式换热器安装
	设备试压、清扫与封闭
乙二醇蒸发器	卧式容器及卧式换热器安装
	设备试压、清扫与封闭
卧式储槽类设备(无搅拌器)	卧式容器及卧式换热器安装
	设备试压、清扫与封闭

分 项 工 程	检 验 批
卧式过滤器	卧式容器及卧式换热器安装
	设备试压、清扫与封闭
管壳式换热器	卧式容器及卧式换热器安装
	设备试压、清扫与封闭
电加热器	卧式容器及卧式换热器安装
	设备试压、清扫与封闭
板式换热器	卧式容器及卧式换热器安装
	设备试压、清扫与封闭
切片输送气体组件	卧式容器及卧式换热器安装
	设备试压、清扫与封闭
现场焊接的料仓	立式容器及立式换热器安装
	设备试压、清扫与封闭
	现场焊接制作的料仓
带有立式搅拌器的立式整体反应器及储槽	立式容器及立式换热器安装
	设备试压、清扫与封闭
	立式搅拌器安装
	立式搅拌器试运行
立式整体储槽	立式容器及立式换热器安装
	设备试压、清扫与封闭
立式过滤器	立式容器及立式换热器安装
	设备试压、清扫与封闭
立式塔类	立式容器及立式换热器安装
	设备试压、清扫与封闭
	塔内件安装

分项工程	检验批
切片发送罐	立式容器及立式换热器安装
	设备试压、清扫与封闭
反应器润滑油及密封液站	立式容器及立式换热器安装
	撬装设备中泵类设备试运行
空冷式换热器	空冷式换热器安装
	设备试压、清扫与封闭
	空冷式换热器转动部件试运行
乙二醇喷射泵组及机架	蒸汽喷射泵组及机架安装
	设备试压、清扫与封闭
预聚物和熔体过滤器	预聚物和熔体过滤器安装及电动阀门试运行
	设备试压、清扫与封闭
预聚物输送泵、熔体输送泵	预聚物输送泵、熔体输送泵安装
	预聚物输送泵、熔体输送泵传动部分试运行
旋转给料器	旋转给料器安装
	撬装设备中泵类设备的试运行
水平给料器	水平给料器安装及试运行
振动筛	振动筛安装
	振动筛试运行
PTA(IPA)称量器	PTA(IPA)称量器安装及试运行
二氧化钛研磨机	二氧化钛研磨机安装及试运行
二氧化钛离心机	二氧化钛离心机安装及试运行
PTA 管链输送器、投料槽	PTA 管链输送器、投料槽安装及试运行
切片输送器	切片输送器安装
	旋转给料器安装
	撬装设备中泵类设备试运行

分 项 工 程	检 验 批
切片包装机	切片包装机安装及试运行
水下切粒机	铸带头安装
	水下切粒机、双过滤器水分配器和切割室安装及试运行
	长料预分离器、带水切片输送管道和支架安装及试运行
	切片干燥机安装及试运行
	振动筛安装
	振动筛试运行
卧式缩聚反应器	鞍座型卧式反应器安装
	机架型卧式反应器安装
	设备试压、清扫与封闭
	反应器手动和电动盘车、升温过程中的盘车及热态对中
低聚物刮除器	低聚物刮除器安装
	撬装设备中泵类设备的试运行
	设备试压、清扫与封闭

A.0.2 固相缩聚装置设备工程安装分项工程和检验批应符合表 A.0.2 的规定。

表 A.0.2 固相缩聚装置设备工程安装分项工程和检验批

分 项 工 程	检 验 批
泵类设备安装	整装离心泵(屏蔽泵)安装及试运行
	整装液环泵安装及试运行
	整装隔膜泵安装及试运行

分 项 工 程	检 验 批
风机类设备安装	整装轴流通风机安装及试运行
	罗茨鼓风机安装及试运行
	离心鼓风机安装及试运行
起重设备类安装	电动葫芦安装及试运行
卧式消音器	卧式容器及卧式换热器安装
	设备试压、清扫与封闭
热媒蒸发器	卧式容器及卧式换热器安装
	设备试压、清扫与封闭
氮气净化单元	氮气净化单元各设备的安装
	氮气净化单元各设备的试压、清扫与封闭
	氮气净化单元转动设备的试运行
卧式整体储槽类	卧式容器及卧式换热器安装
	设备试压、清扫与封闭
卧式过滤器	卧式容器及卧式换热器安装
	设备试压、清扫与封闭
管壳式换热器	卧式容器及卧式换热器安装
	设备试压、清扫与封闭
切片冷却器	卧式容器及卧式换热器安装
	设备试压、清扫与封闭
切片出料器	卧式容器及卧式换热器安装
	设备试压、清扫与封闭
电加热器	卧式容器及卧式换热器安装
	设备试压、清扫与封闭
切片输送气体组件	卧式容器及卧式换热器安装
	设备试压、清扫与封闭

分 项 工 程	检 验 批
现场焊接的料仓	立式容器及立式换热器安装
	设备试压、清扫与封闭
	现场焊接制作的料仓
立式整体储槽类	立式容器及立式换热器安装
	设备试压、清扫与封闭
旋风分离器	立式容器及立式换热器安装
	设备试压、清扫与封闭
立式消音器	立式容器及立式换热器安装
	设备试压、清扫与封闭
立式过滤器	立式容器及立式换热器安装
	设备试压、清扫与封闭
切片发送罐	立式容器及立式换热器安装
	设备试压、清扫与封闭
预结晶器、结晶器和预加热器	预结晶器、结晶器和预加热器安装
	设备试压、清扫与封闭
	结晶器试运行
固相缩聚反应器及内件	固相缩聚反应器及内件安装
	设备试压、清扫与封闭
旋转给料器	旋转给料器安装
	撬装设备中泵类设备试运行
水平给料器	水平给料器安装及试运行
振动筛	振动筛安装
	振动筛试运行
切片输送器	切片输送器安装
	旋转给料器安装
	撬装设备中泵类设备试运行
切片包装机	切片包装机安装及试运行

附录 B　泵类设备安装及试运行
检验批质量验收记录

B.0.1　整装离心泵(屏蔽泵)安装及试运行检验批质量验收记录应符合表 B.0.1 的规定。

表 B.0.1　整装离心泵(屏蔽泵)安装及试运行检验批质量验收记录表

工程名称			项目经理		记录编号	
单位工程名称			专业负责人		检验批编号	
分部工程名称			设备名称			
分项工程名称			设备位号			
施工单位			设备台数			
施工执行标准 名称及编号		本规范及现行国家标准《风机、压缩机、泵安装工程施工 及验收规范》GB 50275				
施工质量验收规范的规定					施工单位检查 评定记录或状态	监理(建设)单 位验收记录
主控 项目	1	设备资料	本规范第 3.2.5 条			
	2	设备开箱质量	本规范第 3.2.6 条			
	3	混凝土或钢平台基 础复查	本规范第 3.3.2 条 或第 5 章			
	4	设备支座与基础之 间的连接螺栓材料、安 装质量	本规范第 3.5.3 条			
	5	垫铁的安装质量	本规范第 3.5.4 条			
	6	设备采用二次灌浆 方式固定时灌浆的质 量或设备采用锚栓方 式固定时后锚固连接 的质量	本规范第 3.5.5 条 或第 3.4.2 条			

施工质量验收规范的规定					施工单位检查 评定记录或状态	监理(建设)单 位验收记录
		项 目		允许偏差(mm)	测量值或状态	
一般项目	1 安装允许偏差	定位点位置	轴向	±10		
			径向	±10		
		标高		±10		
		水平度	纵向	0.1/1000		
			横向	0.2/1000		
		成排同类型泵间距		±10		
		成排同类型泵管口 中心线平行度		≤10		
	2	泵的找正		GB 50275 相关条款		
	3	试运行		GB 50275 相关条款		
				屏蔽泵的 TRG 监视器应正常		
施工单位检查评定结果						
监理(建设)单位验收结论						

B.0.2 整装螺杆泵安装及试运行检验批质量验收记录应符合表 B.0.2 的规定。

表 B.0.2 整装螺杆泵安装及试运行检验批质量验收记录表

工程名称		项目经理		记录编号	
单位工程名称		专业负责人		检验批编号	
分部工程名称		设备名称			
分项工程名称		设备位号			
施工单位		设备台数			
施工执行标准 名称及编号	本规范及现行国家标准《风机、压缩机、泵安装工程施工 及验收规范》GB 50275				

施工质量验收规范的规定				施工单位检查评定记录或状态	监理(建设)单位验收记录
主控项目	1	设备资料	本规范第 3.2.5 条		
	2	设备开箱质量	本规范第 3.2.6 条		
	3	混凝土或钢平台基础复查	本规范第 3.3.2 条或第 5 章		
	4	设备支座与基础之间的连接螺栓材料、安装质量	本规范第 3.5.3 条		
	5	垫铁的安装质量	本规范第 3.5.4 条		
	6	设备采用二次灌浆方式固定时灌浆的安装质量或设备采用锚栓方式固定时后锚固连接的质量	本规范第 3.5.5 条或第 3.4.2 条		

一般项目	1	安装允许偏差	项目		允许偏差(mm)	测量值或状态							
			定位点位置	轴向	±10								
				径向	±10								
			标高		±10								
			水平度	纵向	0.1/1000								
				横向	0.2/1000								
			成排同类型泵间距		±10								
			成排同类型泵管口中心线平行度		≤10								
	2	泵的找正			GB 50275 相关条款								
	3	试运行			GB 50275 相关条款								
施工单位检查评定结果													
监理(建设)单位验收结论													

B.0.3 整装液环泵安装及试运行检验批质量验收记录应符合表B.0.3的规定。

表 B.0.3 整装液环泵安装及试运行检验批质量验收记录表

工程名称		项目经理		记录编号	
单位工程名称		专业负责人		检验批编号	
分部工程名称		设备名称			
分项工程名称		设备位号			
施工单位		设备台数			
施工执行标准名称及编号	本规范及现行国家标准《风机、压缩机、泵安装工程施工及验收规范》GB 50275				

施工质量验收规范的规定				施工单位检查评定记录或状态	监理(建设)单位验收记录
主控项目	1	设备资料	本规范第3.2.5条		
	2	设备开箱质量	本规范第3.2.6条		
	3	混凝土或钢平台基础复查	本规范第3.3.2条或第5章		
	4	设备支座与基础之间的连接螺栓材料、安装质量	本规范第3.5.3条		
	5	垫铁的安装质量	本规范第3.5.4条		
	6	设备采用二次灌浆方式固定时灌浆的质量或设备采用锚栓方式固定时后锚固连接的质量	本规范第3.5.5条或第3.4.2条		

施工质量验收规范的规定				施工单位检查评定记录或状态	监理(建设)单位验收记录
		项 目	允许偏差(mm)	测量值或状态	
一般项目	1 安装允许偏差	定位点位置	轴向	±10		
			径向	±10		
		标高		±10		
		水平度	纵向	0.1/1000		
			横向	0.2/1000		
		成排同类型泵间距		±10		
		成排同类型泵管口中心线平行度		≤10		
	2	泵的找正		GB 50275 相关条款		
	3	试运行		GB 50275 相关条款（注入工作介质）		
施工单位检查评定结果						
监理(建设)单位验收结论						

B.0.4 整装隔膜泵安装及试运行检验批质量验收记录应符合表 B.0.4 的规定。

表 B.0.4 整装隔膜泵安装及试运行检验批质量验收记录表

工程名称		项目经理		记录编号	
单位工程名称		专业负责人		检验批编号	
分部工程名称		设备名称			
分项工程名称		设备位号			
施工单位		设备台数			
施工执行标准名称及编号	本规范及现行国家标准《风机、压缩机、泵安装工程施工及验收规范》GB 50275				

施工质量验收规范的规定				施工单位检查评定记录或状态	监理(建设)单位验收记录
主控项目	1	设备资料	本规范第3.2.5条		
	2	设备开箱质量	本规范第3.2.6条		
	3	混凝土或钢平台基础复查	本规范第3.3.2条或第5章		
	4	设备支座与基础之间的连接螺栓材料、安装质量	本规范第3.5.3条		
	5	垫铁的安装质量	本规范第3.5.4条		
	6	设备采用二次灌浆方式固定时灌浆的安装质量或设备采用锚栓方式固定时锚固连接的质量	本规范第3.5.5条或第3.4.2条		
一般项目	1	安装允许偏差	项目	允许偏差(mm)	测量值或状态
			定位点位置 轴向	±10	
			定位点位置 径向	±10	
			标高	±10	
			成排同类型泵间距	±10	
			成排同类型泵管口中心线平行度	≤10	
	2	泵的找正	GB 50275相关条款		
	3	试运行	GB 50275相关条款		
施工单位检查评定结果					
监理(建设)单位验收结论					

B.0.5 整装齿轮泵安装及试运行检验批质量验收记录应符合表 B.0.5 的规定。

表 B.0.5 整装齿轮泵安装及试运行检验批质量验收记录表

工程名称				项目经理		记录编号	
单位工程名称				专业负责人		检验批编号	
分部工程名称				设备名称			
分项工程名称				设备位号			
施工单位				设备台数			
施工执行标准 名称及编号			本规范及现行国家标准《风机、压缩机、泵安装工程施工 及验收规范》GB 50275				

施工质量验收规范的规定				施工单位检查 评定记录或状态	监理(建设)单 位验收记录
主控项目	1	设备资料	本规范第3.2.5条		
	2	设备开箱质量	本规范第3.2.6条		
	3	混凝土或钢平台基础复查	本规范第3.3.2条或第5章		
	4	设备支座与基础之间的连接螺栓材料、安装质量	本规范第3.5.3条		
	5	垫铁的安装质量	本规范第3.5.4条		
	6	设备采用二次灌浆方式固定时灌浆的安装质量或设备采用锚栓方式固定后锚固连接的质量	本规范第3.5.5条或3.4.2条		

续表 B.0.5

施工质量验收规范的规定				施工单位检查评定记录或状态	监理(建设)单位验收记录
		项目	允许偏差(mm)	测量值或状态	
一般项目	1 安装允许偏差	定位点位置 轴向	±10		
		定位点位置 径向	±10		
		标高	±10		
		成排同类型泵间距	±10		
		成排同类型泵管口中心线平行度	≤10		
	2	泵的找正	GB 50275 相关条款		
	3	试运行	GB 50275 相关条款		
施工单位检查评定结果					
监理(建设)单位验收结论					

附录 C 风机类设备安装及试运行
检验批质量验收记录

C.0.1 整装轴流通风机安装及试运行检验批质量验收记录应符合表 C.0.1 的规定。

表 C.0.1 整装轴流通风机安装及试运行检验批质量验收记录表

工程名称		项目经理		记录编号	
单位工程名称		专业负责人		检验批编号	
分部工程名称		设备名称			
分项工程名称		设备位号			
施工单位		设备台数			
施工执行标准 名称及编号	本规范及现行国家标准《风机、压缩机、泵安装工程施工 及验收规范》GB 50275				
施工质量验收规范的规定			施工单位检查 评定记录或状态	监理(建设)单 位验收记录	
主控项目	1	设备资料	本规范第 3.2.5 条		
	2	设备开箱质量	本规范第 3.2.6 条		
	3	混凝土或钢平台基础复查	本规范第 3.3.2 条 或第 5 章		
	4	设备支座与基础之间的连接螺栓材料、安装质量	本规范第 3.5.3 条		
	5	垫铁的安装质量	本规范第 3.5.4 条		
	6	设备采用二次灌浆方式固定时灌浆的质量或设备采用锚栓方式固定时后锚固连接的质量	本规范第 3.5.5 条 或3.4.2 条		

施工质量验收规范的规定					施工单位检查评定记录或状态	监理(建设)单位验收记录
一般项目	1 安装允许偏差	项 目		允许偏差(mm)	测量值或状态	
		定位点位置	轴向	±10		
			径向	±10		
		标高		±10		
		水平度	纵向	1/1000		
			横向	1/1000		
		垂直度		1/1000		
		成排同类型泵间距		±10		
		成排同类型泵管口中心线平行度		≤10		
	2	风机的找正		GB 50275 相关条款		
	3	试运行		GB 50275 相关条款		
施工单位检查评定结果						
监理(建设)单位验收结论						

C.0.2 罗茨鼓风机安装及试运行检验批质量验收记录应符合表 C.0.2 的规定。

表 C.0.2 罗茨鼓风机安装及试运行检验批质量验收记录表

工程名称		项目经理		记录编号	
单位工程名称		专业负责人		检验批编号	
分部工程名称		设备名称			
分项工程名称		设备位号			
施工单位		设备台数			
施工执行标准名称及编号	本规范及现行国家标准《风机、压缩机、泵安装工程施工及验收规范》GB 50275				

施工质量验收规范的规定				施工单位检查评定记录或状态	监理(建设)单位验收记录
主控项目	1	设备资料	本规范第3.2.5条		
	2	设备开箱质量	本规范第3.2.6条		
	3	混凝土或钢平台基础复查	本规范第3.3.2条或第5章		
	4	设备支座与基础之间的连接螺栓材料、安装质量	本规范第3.5.3条		
	5	垫铁的安装质量	本规范第3.5.4条		
	6	设备采用二次灌浆方式固定时灌浆的安装质量或设备采用锚栓方式固定时后锚固连接的质量	本规范第3.5.5条或3.4.2条		

一般项目		项 目		允许偏差(mm)	测量值或状态	
	1	安装允许偏差	定位点位置	轴向	±10	
				径向	±10	
			标高		±10	
			水平度	纵向	0.2/1000	
				横向	0.2/1000	
			成排同类型泵间距		±10	
			成排同类型泵管口中心线平行度		≤10	
	2	风机的找正		GB 50275 相关条款		
	3	试运行		GB 50275 相关条款		
施工单位检查评定结果						
监理(建设)单位验收结论						

C.0.3 离心鼓风机安装及试运行检验批质量验收记录应符合表 C.0.3 的规定。

表 C.0.3 离心鼓风机安装及试运行检验批质量验收记录表

工程名称			项目经理		记录编号	
单位工程名称			专业负责人		检验批编号	
分部工程名称			设备名称			
分项工程名称			设备位号			
施工单位			设备台数			
施工执行标准名称及编号		本规范及现行国家标准《风机、压缩机、泵安装工程施工及验收规范》GB 50275				
施工质量验收规范的规定				施工单位检查评定记录或状态	监理(建设)单位验收记录	
主控项目	1	设备资料	本规范第3.2.5条			
	2	设备开箱质量	本规范第3.2.6条			
	3	混凝土或钢平台基础复查	本规范第3.3.2条或第5章			
	4	设备支座与基础之间的连接螺栓材料、安装质量	本规范第3.5.3条			
	5	垫铁及底座的安装质量	本规范第3.5.4条、GB 50275相关条款			
	6	设备采用二次灌浆方式固定时灌浆的质量或设备采用锚栓方式固定时后锚固连接的质量	本规范第3.5.5条或第3.4.2条			

施工质量验收规范的规定					施工单位检查评定记录或状态	监理(建设)单位验收记录
一般项目	1	安装允许偏差	项　目	允许偏差(mm)	测量值或状态	
			定位点位置　轴向	±2		
			定位点位置　径向	±2		
			标高	±2		
			水平度　纵向	0.05/1000		
			水平度　横向	0.1/1000		
			成排同类型泵间距	±10		
			成排同类型泵管口中心线平行度	≤10		
	2	找正、调平		GB 50275 相关条款		
	3	间隙		GB 50275 相关条款		
	4	组装		GB 50275 相关条款		
	3	试运行		GB 50275 相关条款		
施工单位检查评定结果						
监理(建设)单位验收结论						

附录 D 起重类设备安装及试运行
检验批质量验收记录

D.0.1 电动葫芦安装及试运行检验批质量验收记录应符合表 D.0.1 的规定。

表 D.0.1 电动葫芦安装及试运行检验批质量验收记录表

工程名称				项目经理		记录编号	
单位工程名称				专业负责人		检验批编号	
分部工程名称				设备名称			
分项工程名称				设备位号			
施工单位				设备台数			
施工执行标准 名称及编号			本规范及现行国家标准《起重设备安装工程施工及验收规范》GB 50278、 《悬挂运输设备轨道》G359-1～4				
施工质量验收规范的规定				施工单位检查 评定记录或状态		监理(建设)单 位验收记录	
主控项目	1	设备资料	本规范第 3.2.5 条				
	2	设备开箱质量	除符合本规范第 3.2.6 条外,钢丝绳不应有锈蚀、损伤、弯折、打环、扭结、裂嘴和松散等现象				
	3	轨道的型号规格	应符合设计文件规定				
	4	轨道的制作	应符合《悬挂运输设备轨道》G359-1～4 相关规定				
	5	连接运行小车两墙板的螺柱上的螺母应拧紧,螺母的锁件应装配正确					

施工质量验收规范的规定			施工单位检查评定记录或状态	监理(建设)单位验收记录
一般项目	1	电动葫芦车轮轮缘内侧与工字钢轨道下翼缘边缘的间隙	3mm～5mm	
	2	电动葫芦的空载、静载、动载试运行	符合现行国家标准《起重设备安装工程施工及验收规范》GB 50278 的相关规定	
施工单位检查评定结果				
监理(建设)单位验收结论				

D.0.2 气动葫芦安装及试运行检验批质量验收记录应符合表 D.0.2 的规定。

表 D.0.2 气动葫芦安装及试运行检验批质量验收记录表

工程名称			项目经理		记录编号	
单位工程名称			专业负责人		检验批编号	
分部工程名称			设备名称			
分项工程名称			设备位号			
施工单位			设备台数			
施工执行标准名称及编号		本规范及《悬挂运输设备轨道》G359-1～4				

施工质量验收规范的规定			施工单位检查评定记录或状态	监理(建设)单位验收记录
主控项目	1	设备资料	本规范第3.2.5条	

施工质量验收规范的规定			施工单位检查评定记录或状态	监理(建设)单位验收记录
主控项目	2	设备开箱质量	除符合本规范第3.2.6条外,气动三联件应完好,链条应无锈蚀、扭曲、变形、磨损、裂纹或沾有不能去除的附着物等		
	3	轨道的型号规格	应符合设计文件规定		
	4	轨道的制作	应符合《悬挂运输设备轨道》G359-1～4 相关规定		
	5	连接气动小车两侧板的紧固件、锁件等应装配正确,符合厂商技术文件规定			
一般项目	1	气动小车车轮轮缘内侧与工字钢轨道下翼缘边缘的间隙	间隙(mm)		
	2	气动葫芦的空载、静载、动载试运行	符合设备技术文件的规定		
施工单位检查评定结果				
监理(建设)单位验收结论				

附录 E 现场焊接制作的料仓
检验批质量验收记录

表 E 现场焊接制作的料仓检验批质量验收记录表

工程名称			项目经理		记录编号	
单位工程名称			专业负责人		检验批编号	
分部工程名称			设备名称			
分项工程名称			设备位号			
施工单位			设备台数			
施工执行标准 名称及编号			现行行业标准《固体料仓》NB/T 47003.2			
施工质量验收规范的规定					施工单位检查 评定记录或状态	监理(建设)单 位验收记录
主控 项目	1	现场焊接料仓的 制作与验收	符合现行行业标准《固 体料仓》NB/T 47003.2 的验收标准			
施工单位检查评定结果						
监理(建设)单位验收结论						

附录 F 设备试压、清扫与封闭
检验批质量验收记录

表 F 设备试压、清扫与封闭检验批质量验收记录表

工程名称			项目经理		记录编号	
单位工程名称			专业负责人		检验批编号	
分部工程名称			设备名称			
分项工程名称			设备位号			
施工单位			设备台数			
施工执行标准 名称及编号			本 规 范			

施工质量验收规范的规定				施工单位检查 评定记录或状态	监理(建设)单 位验收记录
主控项目	1	液压试验	内腔	本规范第3.7.9条		
			夹套			
	2	气压试验	内腔	本规范第3.7.10条		
			夹套			
	3	泄漏性试验	内腔	本规范第3.7.11条		
			夹套			
	4	冷态真空泄漏试验	内腔	本规范第3.7.12条		
			夹套			
	5	热态真空泄漏试验	内腔	本规范第3.7.12条		
			夹套			
一般项目	1	初始运行代替的压力试验		本规范第3.7.13条		
	2	常压设备充水试验		本规范第3.7.14条		
	3	清扫与封闭		本规范第3.7.15条		
施工单位检查评定结果					
监理(建设)单位验收结论					

附录 G 塔内件安装检验批质量验收记录

表 G 塔内件安装检验批质量验收记录表

工程名称		项目经理		记录编号	
单位工程名称		专业负责人		检验批编号	
分部工程名称		设备名称			
分项工程名称		设备位号			
施工单位		设备台数			
施工执行标准 名称及编号		本　规　范			

施工质量验收规范的规定				施工单位检查 评定记录或状态	监理(建设)单 位验收记录
主控 项目	1	设备资料	第3.2.5条		
	2	设备开箱质量	第3.2.6条		
一般 项目	1	塔内件支撑结构现场焊 接质量	第6.2.4条		
	2	气液分离元件安装	按设备技术文件或 设计文件		
	3	颗粒填料(环形、鞍形、 鞍环形及其他)安装质量	按设备技术文件或 设计文件		
	4	塔内件支撑结构、降液 板及受液盘安装或复核	按设备技术文件或 设计文件		

施工质量验收规范的规定						施工单位检查评定记录或状态	监理(建设)单位验收记录
一般项目	5	安装允许偏差	项 目		允许偏差(mm)	每层最少测量点	测量值或状态	
			塔板盘、受液盘	300mm 范围内的平面度	2	任意		
			塔盘上表面水平度	$D_i \leqslant 1600$mm（D_i 为塔内直径）	4	6		
				1600mm$<D_i \leqslant 4000$mm	6	10		
			溢流堰	堰高 $D_i \leqslant 3000$mm	±1.5	6		
				堰高 $D_i > 3000$mm	±3	6		
				上表面水平度 $D_i \leqslant 1500$mm	3	4		
				上表面水平度 1500mm$<D_i \leqslant 2500$mm	4.5	6		
				上表面水平度 $D_i > 2500$mm	6	8		
			浮动喷射塔盘	梯形孔面的水平度	$2D_i/1000$	4		
				托板、浮动板平面度	1	4		
			圆形、条形泡罩	与升气管同心度	3	10		
				齿根到塔盘上表面距离	±1.5	10		
施工单位检查评定结果								
监理(建设)单位验收结论								

附录 H 立式搅拌器安装及试运行 检验批质量验收记录

H.0.1 立式搅拌器安装检验批质量验收记录应符合表 H.0.1 的规定。

表 H.0.1 立式搅拌器安装检验批质量验收记录表

工程名称			项目经理		记录编号	
单位工程名称			专业负责人		检验批编号	
分部工程名称			设备名称			
分项工程名称			设备位号			
施工单位			设备台数			
施工执行标准 名称及编号		本 规 范				
施工质量验收规范的规定				施工单位检查 评定记录或状态	监理(建设)单 位验收记录	
主控 项目	1	设备资料	第3.2.5条			
	2	设备开箱质量	第3.2.6条			
一般 项目	1	搅拌轴转动应无卡阻	第6.4.1条			
	2	搅拌器底法兰与容器顶 法兰之间的紧固				
	3	机械密封密封液、机械 密封冷却液、减速箱内润 滑油应无泄漏				
	4	下轴承支撑筋与设备内 壁焊接质量				

施工质量验收规范的规定				施工单位检查评定记录或状态	监理(建设)单位验收记录

一般项目	5 安装允许偏差	项 目		允许偏差(mm)	测量值或状态	
		搅拌器安装法兰水平度	纵向	0.5/1000		
			横向	0.5/1000		
		搅拌轴	轴端径向跳动	1/1000 且≤3		
			铅垂度	0.05°		

施工单位检查评定结果	
监理(建设)单位验收结论	

H.0.2 立式搅拌器试运行检验批质量验收记录应符合表 H.0.2 的规定。

表 H.0.2 立式搅拌器试运行检验批质量验收记录表

工程名称		项目经理		记录编号	
单位工程名称		专业负责人		检验批编号	
分部工程名称		设备名称			
分项工程名称		设备位号			
施工单位		设备台数			
施工执行标准名称及编号	本 规 范				

内 容				施工单位检查评定记录或状态	监理(建设)单位验收记录
一般项目	1	盘车应转动灵活,无异常现象			
	2	转向应符合转向标记			
	3	到达最低液位后运转时间	运行时间(hr)	第6.4.3条	
			规定值 2hr		
		到达最高液位后运转时间	运行时间(hr)		
			规定值 4hr		

续表 H.0.2

		内　　容	施工单位检查评定记录或状态							监理(建设)单位验收记录
一般项目	4	运转过程中应检查驱动电机电流及温升等不应超过规定值	第6.4.3条							
	5	电机、减速箱等处应无异常杂音								
	6	各连接密封点应无跑、冒、滴、漏现象								
	7	内部各仪表应显示正常								
	8	轴承温升不应超过40℃且温度不超过75℃,轴承振动应符合设计规定								
	9	设备各紧固部位应无松动现象								
	10	整机应无明显振动								
	11	转动噪声应小于85dB								
施工单位检查评定结果										
监理(建设)单位验收结论										

附录 J 卧式容器及卧式换热器安装 检验批质量验收记录

表 J 卧式容器及卧式换热器安装检验批质量验收记录表

工程名称			项目经理		记录编号	
单位工程名称			专业负责人		检验批编号	
分部工程名称			设备名称			
分项工程名称			设备位号			
施工单位			设备台数			
施工执行标准 名称及编号			本 规 范			
施工质量验收规范的规定				施工单位检查 评定记录或状态	监理(建设)单 位验收记录	
主控 项目	1	设备资料	第3.2.5条			
	2	设备开箱质量	第3.2.6条			
	3	混凝土或钢平台基础复查	第3.3.2条或 第5章			
	4	滑动端安装质量	第6.5.1条			
一般 项目	1	设备支座与基础之间的连接 螺栓材料、安装质量	第3.5.3条			
	2	垫铁的安装质量	第3.5.4条			
	3	设备采用二次灌浆方式固定 时灌浆的安装质量,或设备采 用锚栓方式固定时后锚固连接 的质量	第3.5.5条或 第3.4.2条			
	4	仪表专用套筒的现场焊接及 焊缝的质量	第6.2.5条			

		施工质量验收规范的规定			施工单位检查 评定记录或状态								监理(建设)单 位验收记录
一般项目	5 安装允许偏差	项 目		允许偏差(mm)	测量值或状态								
		支座轴线位置	轴向	±5									
			径向	±5									
		标高		±5									
		无倾斜要求设备的水平度	轴向(L 为两端测点间的距离)	L/1000 且≤10									
			径向(D。为设备的外径)	2D。/1000 且≤5									
		有倾斜要求设备的倾斜度	按文件要求的方向	0.05°									
		搅拌器安装法兰水平度	轴向	0.5/1000									
			径向	0.5/1000									
		成排同类型设备间距		±10									
		成排同类型设备端面 (中心线)平行度		≤10									
施工单位检查评定结果													
监理(建设)单位验收结论													

附录 K 立式容器及立式换热器安装
检验批质量验收记录

表 K 立式容器及立式换热器安装检验批质量验收记录表

工程名称			项目经理		记录编号	
单位工程名称			专业负责人		检验批编号	
分部工程名称			设备名称			
分项工程名称			设备位号			
施工单位			设备台数			
施工执行标准 名称及编号			本　规　范			

施工质量验收规范的规定				施工单位检查 评定记录或状态	监理(建设)单 位验收记录
主控 项目	1	设备资料	第3.2.5条		
	2	设备开箱质量	第3.2.6条		
	3	混凝土或钢平台基础复查	第3.3.2条或 第5章		
	4	容器分段法兰组装	第6.2.1条		
	5	容器分段组焊	第6.2.2条		
	6	裙座、支耳或环形支座组焊	第6.2.3条		
一般 项目	1	设备支座与基础之间的连接 螺栓材料、安装质量	第3.5.3条		
	2	垫铁的安装质量	第3.5.4条		
	3	设备采用二次灌浆方式固定 时灌浆的安装质量,或设备采 用锚栓方式固定时后锚固连接 的质量	第3.5.5条或 第3.4.2条		
	4	仪表专用套筒的现场焊接及 焊缝质量	第6.2.5条		

施工质量验收规范的规定				施工单位检查评定记录或状态	监理(建设)单位验收记录
		项　目	允许偏差（mm）	测量值或状态	
一般项目	5 安装允许偏差	支座轴线位置	轴向	±5	
			径向	±5	
		标高		±5	
		垂直度（分段设备每段设备和组装后的整体设备垂直度）（无立式搅拌器时）	$H \leqslant 30\text{m}$（H 为两端测点间的距离）	$H/1000$ 且 $\leqslant 30$	
			$H > 30\text{m}$	$H/1000$ 且 $\leqslant 50$	
		方位（沿底座圆周测量）	$D_o \leqslant 2000\text{mm}$（$D_o$ 为设备外径）	10	
			$D_o > 2000\text{mm}$	20	
		搅拌器安装法兰水平度	轴向	0.5/1000	
			径向	0.5/1000	
		成排同类型设备间距		±10	
		成排同类型设备端面（中心线）平行度		$\leqslant 10$	
施工单位检查评定结果					
监理(建设)单位验收结论					

附录 L 撬装设备中泵类设备试运行检验批质量验收记录

表 L 撬装设备中泵类设备试运行检验批质量验收记录表

工程名称		项目经理		记录编号	
单位工程名称		专业负责人		检验批编号	
分部工程名称		设备名称			
分项工程名称		设备位号			
施工单位		设备台数			
施工执行标准名称及编号		本 规 范			

内　　容				施工单位检查评定记录或状态	监理(建设)单位验收记录
一般项目	1	盘车应转动灵活,无异常现象		第6.7.3条	
	2	转向应符合转向标记			
	3	如变频调速,频率点与输出转速应对应			
	4	连续运转时间不应小于设计文件规定值	运行时间		
			(hr)		
	5	运转过程中应检查驱动电机电流及温升等不应超过规定值			
	6	电机、减速箱等处应无异常杂音			
	7	各连接密封点应无跑、冒、滴、漏现象			
	8	内部各仪表显示应正常			

		内　容		施工单位检查评定记录或状态	监理(建设)单位验收记录
一般项目	9	轴承温升不应超过 40℃且温度不超过 75℃,轴承振动应符合设计规定	第6.7.3条		
	10	设备各紧固部位应无松动现象			
	11	整机应无明显振动			
	12	转动噪声应小于 85dB			
施工单位检查评定结果					
监理(建设)单位验收结论					

附录 M 空冷式换热器安装及试运行检验批质量验收记录

M. 0. 1 空冷式换热器安装检验批质量验收记录应符合表 M. 0. 1 的规定。

表 M. 0. 1 空冷式换热器安装检验批质量验收记录表

工程名称				项目经理		记录编号	
单位工程名称				专业负责人		检验批编号	
分部工程名称				设备名称			
分项工程名称				设备位号			
施工单位				设备台数			
施工执行标准名称及编号				**本 规 范**			
施工质量验收规范的规定					施工单位检查评定记录或状态		监理(建设)单位验收记录
主控项目	1	设备资料		第3.2.5条			
	2	设备开箱质量		第3.2.6条和第6.8.1条			
	3	混凝土或钢平台基础复查		第3.3.2条或第5章			
一般项目	1	翅片安装后,应松开管箱与侧梁连接的滑动螺栓1mm~3mm		第6.8.3条			
	2	设备支座与基础之间的连接螺栓材料,安装质量		第3.5.3条			
	3	垫铁的安装质量		第3.5.4条			
	4	设备采用二次灌浆方式固定时灌浆的安装质量,或设备采用锚栓方式固定时锚固连接的质量		第3.5.5条或第3.4.2条			
	5	风机叶片的安装顺序		第6.8.4条			

施工质量验收规范的规定					施工单位检查评定记录或状态								监理(建设)单位验收记录
			项　目	允许偏差(mm)	测量值或状态								
一般项目	6	安装允许偏差	构架	平面对角线之差		±5								
				构架顶横梁水平度	纵向	1/1000								
					横向	1/1000								
			立柱	柱脚底座中心线与定位轴线的偏差		±5								
				立柱基准点标高		+5/−8								
				立柱绕曲矢高(H_s为立柱高度)		H_s/1000且不大于15								
				立柱垂直度		H_s/1000								
			管束纵、横向中心位置			±10								
			风机电动机座中心线		横向	±2								
					纵向	±2								
			风筒	风机叶轮直径(mm)	项　目	允许偏差(mm)								
				1800～2000	直径	±2								
					两端法兰盘平行度	4								
					圆度	2								
					风筒内壁与风机叶片尖端的间距	2～6								
				2000～3000	直径	±3								
					两端法兰盘平行度	5								
					圆度	3								
					风筒内壁与风机叶片尖端的间距	3～8								
				3000～5000	直径	±4								
					两端法兰盘平行度	6								
					圆度	4								
					风筒内壁与风机叶片尖端的间距	4～12								
施工单位检查评定结果														
监理(建设)单位验收结论														

M.0.2 空冷式换热器转动部件试运行检验批质量验收记录应符合表 M.0.2 的规定。

表 M.0.2 空冷式换热器转动部件试运行检验批质量验收记录表

工程名称			项目经理		记录编号	
单位工程名称			专业负责人		检验批编号	
分部工程名称			设备名称			
分项工程名称			设备位号			
施工单位			设备台数			
施工执行标准 名称及编号		本　规　范				
内　　容				施工单位检查 评定记录或状态	监理(建设)单 位验收记录	
一般项目	1	盘车应转动灵活,无异常现象				
	2	转向应符合转向标记		第 6.8.10 条		
	3	连续运转时间不得小于 8h				
	4	运转过程中应检查驱动电机电流及温升等不应超过规定值				
	5	电机、减速箱等处应无异常杂音				
	6	轴承温升不应超过 40℃且温度不超过 75℃,轴承振动应符合设计规定				
	7	设备各紧固部位应无松动现象,应无明显振动				
	8	转动噪声应小于 85dB				
施工单位检查评定结果						
监理(建设)单位验收结论						

附录 N 蒸汽喷射泵组及支架安装检验批质量验收记录

表 N 蒸汽喷射泵组及支架安装检验批质量验收记录表

工程名称				项目经理		记录编号	
单位工程名称				专业负责人		检验批编号	
分部工程名称				设备名称			
分项工程名称				设备位号			
施工单位				设备台数			
施工执行标准名称及编号				本　规　范			

施工质量验收规范的规定				施工单位检查评定记录或状态	监理(建设)单位验收记录
主控项目	1	设备资料	第3.2.5条		
	2	设备开箱质量	第3.2.6条		
	3	混凝土或钢平台基础复查	第3.3.2条或第5章		
	4	本体分段组焊	第6.2.2条		
	5	弹簧的挡块和销钉拆除	第6.9.6条		
	6	机架上不应有妨碍移动的约束物	第6.9.7条		
一般项目	1	设备支座与基础之间的连接螺栓材料、安装质量	第3.5.3条		
	2	垫铁的安装质量	第3.5.4条		
	3	机架的现场制作质量	第5章		

续表 N

施工质量验收规范的规定					施工单位检查评定记录或状态	监理(建设)单位验收记录
一般项目	4	安装允许偏差	项 目		允许偏差（mm）	测量值或状态
			一级喷射器管口与终缩聚聚合物刮除器出口管口的中心线	纵向	±5	
				横向	±5	
			标高		±10	
			水平喷射器的水平度		1/1000	
			大机架底部与滚轮接触面的水平度	纵向	1/1000	
				横向	1/1000	
			各喷射器及冷凝器之间角度		3°	
			冷凝器支座下弹簧的垂直度(载荷柱中心与弹簧罩筒中心的偏移量)		±3	
施工单位检查评定结果						
监理(建设)单位验收结论						

附录 P 预聚物、熔体过滤器和电动阀门安装及试运行检验批质量验收记录

表 P 预聚物、熔体过滤器和电动阀门安装及试运行检验批质量验收记录表

工程名称			项目经理		记录编号	
单位工程名称			专业负责人		检验批编号	
分部工程名称			设备名称			
分项工程名称			设备位号			
施工单位			设备台数			
施工执行标准名称及编号			**本 规 范**			

施工质量验收规范的规定				施工单位检查评定记录或状态	监理(建设)单位验收记录
主控项目	1	设备资料	第3.2.5条		
	2	设备开箱质量	第3.2.6条		
	3	混凝土或钢平台基础复查	第3.3.2条或第5章		
	4	滑动支座的安装质量	第6.10.3条		
一般项目	1	设备支座与基础之间的连接螺栓材料、安装质量	第3.5.3条		
	2	垫铁的安装质量	第3.5.4条		
	3	设备采用二次灌浆方式固定时灌浆的安装质量,或设备采用锚栓方式固定时后锚固连接的质量	第3.5.5条或第3.4.2条		
	4	弹簧挡块或销钉应拆除	第6.10.4条		

施工质量验收规范的规定					施工单位检查 评定记录或状态	监理(建设)单 位验收记录
一般项目	5	安装允许偏差	项 目	允许偏差 (mm)	测量值或状态	
			中心线 纵向(平行于吊轨方向)	±5		
			中心线 横向(垂直于吊轨方向)	±3		
			标高	±5		
			铅垂度	1/1000		
	6	电动阀门的试运行		第6.10.6条		
施工单位检查评定结果						
监理(建设)单位验收结论						

附录 Q 预结晶器、结晶器和预加热器安装检验批质量验收记录

Q.0.1 预结晶器、结晶器和预加热器安装检验批质量验收记录应符合表 Q.0.1 的规定。

表 Q.0.1 预结晶器、结晶器和预加热器安装检验批质量验收记录表

工程名称			项目经理		记录编号	
单位工程名称			专业负责人		检验批编号	
分部工程名称			设备名称			
分项工程名称			设备位号			
施工单位			设备台数			
施工执行标准 名称及编号			**本 规 范**			
施工质量验收规范的规定				施工单位检查 评定记录或状态	监理(建设)单 位验收记录	
主控 项目	1	设备资料	第 3.2.5 条			
	2	设备开箱质量	第 3.2.6 条			
	3	混凝土或钢平台基础复查	第 3.3.2 条或 第 5 章			
	4	预加热器分段组焊	第 6.2.2 条			
一般 项目	1	设备支座与基础之间的连接 螺栓材料、安装质量	第 3.5.3 条			
	2	垫铁的安装质量	第 3.5.4 条			
	3	设备采用二次灌浆方式固定 时灌浆的安装质量	第 3.5.5 条			
	4	预加热器内件安装质量	第 6.11.3 条			

施工质量验收规范的规定					施工单位检查评定记录或状态				监理(建设)单位验收记录
一般项目	5	安装允许偏差	项　目		允许偏差(mm)	测量值或状态			
			进出口管口与相对应设备管口中心线位置	横向	±3				
				纵向	±3				
			水平度(卧式设备)	横向	2/1000				
				纵向	1/1000				
			铅垂度(立式设备)		1/1000				
			支耳标高		±3				
			方位(沿底座测量)		±10				
施工单位检查评定结果									
监理(建设)单位验收结论									

Q.0.2 结晶器试运行检验批质量验收记录应符合表 Q.0.2 的规定。

表 Q.0.2　结晶器试运行检验批质量验收记录表

工程名称			项目经理		记录编号	
单位工程名称			专业负责人		检验批编号	
分部工程名称			设备名称			
分项工程名称			设备位号			
施工单位			设备台数			
施工执行标准名称及编号			本　规　范			
施工质量验收规范的规定				施工单位检查评定记录或状态		监理(建设)单位验收记录
一般项目	1	手动盘车灵活,无异常现象	第6.11.5条			
	2	空载运转时间不应少于2h,空载合格后应带料试运行,试运行时间不少于1h				
	3	设备润滑情况良好,齿轮箱、电机温度不超过70℃				
	4	电机电流正常,无明显波动				
	5	电机应无异常声响,振动幅度正常				
施工单位检查评定结果						
监理(建设)单位验收结论						

附录 R 固相缩聚反应器及内件安装
检验批质量验收记录

表 R 固相缩聚反应器及内件安装检验批质量验收记录表

工程名称			项目经理		记录编号	
单位工程名称			专业负责人		检验批编号	
分部工程名称			设备名称			
分项工程名称			设备位号			
施工单位			设备台数			
施工执行标准 名称及编号			**本 规 范**			
施工质量验收规范的规定				施工单位检查 评定记录或状态	监理(建设)单 位验收记录	
主控项目	1	设备资料	第3.2.5条			
	2	设备开箱质量	第3.2.6条			
	3	混凝土或钢平台基础复查	第3.3.2条或 第5章			
	4	反应器分段组焊	第6.2.2条			
	5	反应器配套称重传感器组件 安装质量	第6.12.2条			
一般项目	1	设备支座与基础之间的连接 螺栓材料、安装质量	第3.5.3条			
	2	垫铁的安装质量	第3.5.4条			
	3	设备采用二次灌浆方式固定 时灌浆的安装质量	第3.5.5条			
	4	内件安装质量	第6.12.3条			

续表 R

		施工质量验收规范的规定			施工单位检查 评定记录或状态	监理(建设)单 位验收记录
一般项目	5	安装允许偏差	项 目	允许偏差 (mm)	测量值或状态	
			中心线位置 横向	±3		
			中心线位置 纵向	±3		
			支耳标高	±3		
			铅垂度(分段设备每段设备和组焊后的整体设备铅垂度)	1/1000		
			方位(沿底座测量)	±10		
施工单位检查评定结果						
监理(建设)单位验收结论						

附录 S　氮气净化单元设备安装
检验批质量验收记录

表 S　氮气净化单元设备安装检验批质量验收记录表

工程名称				项目经理		记录编号	
单位工程名称				专业负责人		检验批编号	
分部工程名称				设备名称			
分项工程名称				设备位号			
施工单位				设备台数			
施工执行标准 名称及编号				本　规　范			

施工质量验收规范的规定				施工单位检查 评定记录或状态	监理(建设)单 位验收记录
主控 项目	1	设备资料	第3.2.5条		
	2	设备开箱质量	第3.2.6条		
	3	混凝土或钢平台基础复查	第3.3.2条或 第5章		
	4	干燥器、加热器分段组焊	第6.2.2条		
一般 项目	1	设备支座与基础之间的连接 螺栓材料、安装质量	第3.5.3条		
	2	垫铁的安装质量	第3.5.4条		
	3	设备采用二次灌浆方式固定 时灌浆的安装质量	第3.5.5条		
	4	内件安装质量	第6.12.3条		

续表 S

施工质量验收规范的规定					施工单位检查评定记录或状态							监理(建设)单位验收记录
一般项目	5	安装允许偏差	项　目		允许偏差（mm）	测量值或状态						
			中心线位置	横向	±3							
				纵向	±3							
			设备标高		±3							
			铅垂度(分段设备每段设备和组焊后的整体设备铅垂度)		1/1000							
			方位(沿底座测量)		±10							
施工单位检查评定结果												
监理(建设)单位验收结论												

附录 T 预聚物输送泵、熔体输送泵安装及传动部分试运行检验批质量验收记录

T.0.1 预聚物输送泵、熔体输送泵安装检验批质量验收记录应符合表 T.0.1 的规定。

表 T.0.1 预聚物输送泵、熔体输送泵安装检验批质量验收记录表

工程名称			项目经理		记录编号	
单位工程名称			专业负责人		检验批编号	
分部工程名称			设备名称			
分项工程名称			设备位号			
施工单位			设备台数			
施工执行标准名称及编号		本规范及现行国家标准《机械设备安装工程施工及验收通用规范》GB 50231				
施工质量验收规范的规定				施工单位检查评定记录或状态	监理(建设)单位验收记录	
主控项目	1	设备资料	本规范第 3.2.5 条			
	2	设备开箱质量	本规范第 3.2.6 条			
	3	混凝土或钢平台基础复查	本规范第 3.3.2 条或第 5 章			
	4	输送泵随机法兰连接螺栓和螺母的硬度检查	本规范第 6.14.5 条			
一般项目	1	设备支座与基础之间的连接螺栓材料、安装质量	本规范第 3.5.3 条			
	2	垫铁的安装质量	本规范第 3.5.4 条			
	3	连接螺栓和螺母的清理及涂抹高温防烧结剂	本规范第 6.14.6 条			

施工质量验收规范的规定				施工单位检查评定记录或状态						监理(建设)单位验收记录
一般项目	4	泵体附件的安装质量及泵体上连接供应厂商自带管道的安装质量	应符合随机技术文件的规定及现行国家标准《机械设备安装工程施工及验收通用规范》GB 50231 的有关规定							
	5	操作温度下泵轴径向位移	设计文件规定值(mm)							
			(规定值的范围)							
	6	操作温度下联轴器端面间隙	设计文件规定值(mm)							
			(规定值的范围)							
	7	操作温度下联轴器轴线倾斜度	设计文件规定值(°)							
			(规定值的范围)							
	8	安装允许偏差	项 目		允许偏差(mm)	测量值或状态				
			泵体	纵向水平度	0.1/1000					
				横向水平度	0.2/1000					
				纵向位置	±2					
				横向位置	±2					
				标高	±2					
			机座水平度	纵向	1/1000					
				横向	1/1000					
	9	机架纵向、横向位置,中心线标高	符合与泵体连接的联轴器角度及端部间隙要求							
施工单位检查评定结果										
监理(建设)单位验收结论										

T.0.2 预聚物输送泵、熔体输送泵传动部分试运行检验批质量验收记录应符合表 T.0.2 的规定。

表 T.0.2 预聚物输送泵、熔体输送泵传动部分试运行
检验批质量验收记录表

工程名称				项目经理		记录编号	
单位工程名称				专业负责人		检验批编号	
分部工程名称				设备名称			
分项工程名称				设备位号			
施工单位				设备台数			
施工执行标准 名称及编号				本 规 范			

施工质量验收规范的规定			施工单位检查 评定记录或状态	监理(建设)单 位验收记录
一般项目	1	盘车应转动灵活,无异常现象		
	2	转向应符合转向标记		
	3	变频器输出频率、各阶段持续时间应符合规定		
	4	电机电流、温升不应超过规定值		
	5	变频器输出频率与泵轴输出转速应匹配		
	6	电机、减速箱等处应无异常杂音	第 6.14.10 条	
	7	各连接密封点应无跑、冒、滴、漏现象		
	8	内部各仪表显示应正常		
	9	轴承温升不应超过 40℃且温度不超过 75℃,轴承振动应符合设计规定		
	10	设备各紧固部位应无松动		
	11	整机应无明显振动		
	12	转动噪声应小于 85dB		
施工单位检查评定结果				
监理(建设)单位验收结论				

附录 U 给料器安装及试运行
检验批质量验收记录

U.0.1 旋转给料器安装及试运行检验批质量验收记录应符合表U.0.1的规定。

表 U.0.1 旋转给料器安装及试运行检验批质量验收记录表

工程名称			项目经理		记录编号	
单位工程名称			专业负责人		检验批编号	
分部工程名称			设备名称			
分项工程名称			设备位号			
施工单位			设备台数			
施工执行标准名称及编号		本　规　范				
施工质量验收规范的规定				施工单位检查评定记录或状态	监理(建设)单位验收记录	
主控项目	1	设备资料	第3.2.5条			
	2	设备开箱质量	第3.2.6条			
	3	导线跨接	表6.14.1第5项			
一般项目	1	法兰密封面及密封件质量	表 6.14.1 相关项			
	2	进出口法兰及对夹阀门的连接质量				
	3	法兰连接螺栓的安装质量				
	4	给料器上控制及密封附件的安装质量				
	5	试运行	第6.15.3条			
施工单位检查评定结果						
监理(建设)单位验收结论						

U.0.2 水平给料器安装及试运行检验批质量验收记录应符合表 U.0.2 的规定。

表 U.0.2 水平给料器安装及试运行检验批质量验收记录表

工程名称				项目经理		记录编号		
单位工程名称				专业负责人		检验批编号		
分部工程名称				设备名称				
分项工程名称				设备位号				
施工单位				设备台数				
施工执行标准 名称及编号				本　规　范				
施工质量验收规范的规定					施工单位检查 评定记录或状态		监理(建设)单 位验收记录	
主控 项目	1	设备资料		第3.2.5条				
	2	设备开箱质量		第3.2.6条				
	3	混凝土或钢平台基础复查		第3.3.2条或第 5章				
	4	导线跨接		表6.14.1第5项				
一般 项目	1	设备支座与基础之间的连 接螺栓材料、安装质量		第3.5.3条				
	2	垫铁的安装质量		第3.5.4条				
	3	设备采用二次灌浆方式固 定时灌浆的安装质量,或设备 采用锚栓方式固定时后锚固 连接的质量		第3.5.5条或第 3.4.2条				
	4	法兰密封面及密封件质量		表6.14.1相关项				
	5	进出口法兰及对夹阀门的 连接质量						
	6	法兰连接螺栓的安装质量						
	7	给料器上控制及密封附件 的安装质量						
	8	安装允 许偏差	项　　目	允许偏差(mm)	测量值或状态			
			给料器水平中心线	1°且全长≤2				
			给料器中心线水平度	0.5/1000				
	9	试运行		符合设备技术文件 和设计文件规定				
施工单位检查评定结果								
监理(建设)单位验收结论								

附录 V 振动筛安装及试运行 检验批质量验收记录

V.0.1 振动筛安装检验批质量验收记录应符合表 V.0.1 的规定。

表 V.0.1 振动筛安装检验批质量验收记录表

工程名称			项目经理		记录编号	
单位工程名称			专业负责人		检验批编号	
分部工程名称			设备名称			
分项工程名称			设备位号			
施工单位			设备台数			
施工执行标准名称及编号			本 规 范			
施工质量验收规范的规定				施工单位检查评定记录或状态		监理(建设)单位验收记录
主控项目	1	设备资料	第3.2.5条			
	2	设备开箱质量	第3.2.6条			
	3	混凝土或钢平台基础复查	第3.3.2条或第5章			
	4	振动筛试运行结束后,检查所有紧固部位应紧固牢靠	第6.16.3条			
一般项目	1	设备支座与基础之间的连接螺栓材料、安装质量	第3.5.3条			
	2	垫铁的安装质量	第3.5.4条			
	3	设备采用二次灌浆方式固定时灌浆的安装质量,或设备采用锚栓方式固定时后锚固连接的质量	第3.5.5条或第3.4.2条			

施工质量验收规范的规定				施工单位检查评定记录或状态	监理(建设)单位验收记录
一般项目	4	进出口软连接长度或与相应管口的距离	第6.16.4条		
	8	安装允许偏差	项目 / 允许偏差(mm)	测量值或状态	
			支撑座高度 / ±1		
			横向中心线位置 / ±2		
			纵向中心线位置 / ±2		
			支座之间水平度 / 1/1000		
施工单位检查评定结果					
监理(建设)单位验收结论					

V.0.2 振动筛试运行检验批质量验收记录应符合表 V.0.2 的规定。

表 V.0.2 振动筛试运行检验批质量验收记录表

工程名称		项目经理		记录编号	
单位工程名称		专业负责人		检验批编号	
分部工程名称		设备名称			
分项工程名称		设备位号			
施工单位		设备台数			
施工执行标准名称及编号		本 规 范			

施工质量验收规范的规定			施工单位检查评定记录或状态	监理(建设)单位验收记录
一般项目	1	空载运转时间不应少于2h,空载合格后应带料试运行,试运行时间应不少于1h	第6.16.6条	
	2	电机应无异常声响及发热,振动幅度应正常		
	3	带料运行时,额定能力下正常料、异常料应正常分离		
	4	转动噪声应小于85dB		
施工单位检查评定结果				
监理(建设)单位验收结论				

附录 W PTA、PIA 称量器安装及试运行
检验批质量验收记录

表 W PTA、PIA 称量器安装及试运行检验批质量验收记录表

工程名称			项目经理		记录编号	
单位工程名称			专业负责人		检验批编号	
分部工程名称			设备名称			
分项工程名称			设备位号			
施工单位			设备台数			
施工执行标准 名称及编号		本　规　范				

施工质量验收规范的规定				施工单位检查 评定记录或状态	监理(建设)单 位验收记录	
主控 项目	1	设备资料	第3.2.5条			
	2	设备开箱质量	第3.2.6条			
	3	混凝土或钢平台基础 复查	第3.3.2条或第 5章			
一般 项目	1	设备支座与基础之间的 连接螺栓材料、安装质量	第3.5.3条			
	2	垫铁的安装质量	第3.5.4条			
	3	安装允许偏差	项目	允许偏差(mm)	测量值或状态	
			中心线位置 纵向	±2		
			横向	±2		
			水平度 纵向	(设备技术文件规定值)		
			横向	(设备技术文件规定值)		
			标高	±2		
	4	试运行	符合设备技术文件 和设计文件规定			
施工单位检查评定结果						
监理(建设)单位验收结论						

附录 Y 二氧化钛研磨机安装及试运行
检验批质量验收记录

表 Y 二氧化钛研磨机安装及试运行检验批质量验收记录表

工程名称		项目经理		记录编号	
单位工程名称		专业负责人		检验批编号	
分部工程名称		设备名称			
分项工程名称		设备位号			
施工单位		设备台数			
施工执行标准 名称及编号		本 规 范			

施工质量验收规范的规定				施工单位检查 评定记录或状态	监理(建设)单 位验收记录
主控 项目	1	设备资料	第3.2.5条		
	2	设备开箱质量	第3.2.6条		
	3	混凝土或钢平台基础复查	第3.3.2条或第5章		
一般 项目	1	设备支座与基础之间的 连接螺栓材料、安装质量	第3.5.3条		
	2	垫铁的安装质量	第3.5.4条		
	3	设备采用二次灌浆方式 固定时灌浆的安装质量, 或设备采用锚栓方式固定 时后锚固连接的质量	第3.5.5条或第 3.4.2条		

		安 装 允 许 偏 差	项 目		允许偏差(mm)	测量值或状态
一般 项目	4		中心线位置	纵向	±10	
				横向	±10	
			水平度	纵向	0.1/1000	
				横向	0.2/1000	
			标高		±10	
	5	试运行			符合设备技术文件 和设计文件规定	

施工单位检查评定结果	
监理(建设)单位验收结论	

附录 Z 二氧化钛离心机安装及试运行检验批质量验收记录

表 Z 二氧化钛离心机安装及试运行检验批质量验收记录表

工程名称			项目经理		记录编号	
单位工程名称			专业负责人		检验批编号	
分部工程名称			设备名称			
分项工程名称			设备位号			
施工单位			设备台数			
施工执行标准名称及编号			本　规　范			

施工质量验收规范的规定				施工单位检查评定记录或状态	监理(建设)单位验收记录
主控项目	1	设备资料	第3.2.5条		
	2	设备开箱质量	第3.2.6条		
	3	混凝土或钢平台基础复查	第3.3.2条或第5章		
	4	垫铁的安装质量	第3.5.4条		
	5	支座与减震垫的组装、减震垫的固定	第6.19.2条		

一般项目			项　　目		允许偏差(mm)	测量值或状态
	1	安装允许偏差	中心线位置	纵向(平行于吊轨中心线)	±10	
				横向(垂直于吊轨中心线)	±5	
			立式离心机主控制面水平度	纵向	0.1/1000	
				横向	0.2/1000	
			卧式离心机主控制面水平度	纵向	0.1/1000	
				横向	0.2/1000	
			标高		±10	
	2	试运行			符合设备技术文件和设计文件规定	

施工单位检查评定结果	
监理(建设)单位验收结论	

附录 AA　PTA 管链输送器、投料槽安装及试运行检验批质量验收记录

表 AA　PTA 管链输送器、投料槽安装及试运行检验批质量验收记录表

工程名称				项目经理			记录编号	
单位工程名称				专业负责人			检验批编号	
分部工程名称				设备名称				
分项工程名称				设备位号				
施工单位				设备台数				
施工执行标准名称及编号			本规范及现行国家标准《机械设备安装工程施工及验收通用规范》GB 50231					
施工质量验收规范的规定					施工单位检查评定记录或状态		监理(建设)单位验收记录	
主控项目	1	设备资料		本规范第 3.2.5 条				
	2	设备开箱质量		本规范第 3.2.6 条				
	3	混凝土或钢平台基础复查		本规范第 3.3.2 条或第 5 章				
	4	每对法兰或接头之间的电阻值不应大于技术文件规定值		本规范第 6.20.4 条				
一般项目	1	设备支座与基础之间的连接螺栓材料、安装质量		本规范第 3.5.3 条				
	2	垫铁的安装质量		本规范第 3.5.4 条				
	3	各节管链组对顺序、法兰连接质量		本规范第 6.20.3 条				
	4	尾部张紧装置已用的行程		规定值(%)				
				(不应大于全行程的 50%)				

施工质量验收规范的规定			施工单位检查评定记录或状态	监理(建设)单位验收记录
一般项目	5	管链在各层的固定支架、水平管链的支撑架、投料槽支腿的后锚固连接质量	本规范第3.4.2条		
	6	管链输送电机及减速机的安装	应符合现行国家标准《机械设备安装工程施工及验收通用规范》GB 50231的有关规定		
	7	不同方向管链之间的连接部件的连接质量	本规范第6.20.11条		
	8	链条与输送管内壁之间的最小间隙及偏差、输送管内壁圆度及偏差	满足设备技术文件规定		

		项　目	允许偏差(mm)	测量值或状态						
9	安装允许偏差	驱动装置、链轮和拉紧链轮	链轮横向中心线与输送机纵向中心线的水平位置	±1						
			首尾两链轮轴与输送机纵向中心线的垂直度	1/1000						
			链轮轴的水平度	0.5/1000						
			大、小链轮的中心面的位置	≤两链轮中心距的2%						
		张紧链轮拉紧后,其轴线与输送机纵向中心线的垂直度偏差		2/1000						
		水平管链上方的投料槽的下料口中心与吊轨中心位置		±10						

	10	试运行	符合设备技术文件和设计文件规定		

施工单位检查评定结果	
监理(建设)单位验收结论	

附录 AB 切片输送器安装检验批质量验收记录

表 AB 切片输送器安装检验批质量验收记录表

工程名称				项目经理		记录编号	
单位工程名称				专业负责人		检验批编号	
分部工程名称				设备名称			
分项工程名称				设备位号			
施工单位				设备台数			
施工执行标准名称及编号				本 规 范			

施工质量验收规范的规定				施工单位检查评定记录或状态	监理(建设)单位验收记录
主控项目	1	设备资料	第3.2.5条		
	2	设备开箱质量	第3.2.6条		
	3	混凝土或钢平台基础复查	第3.3.2条或第5章		
	4	每对法兰或接头之间的电阻值不应大于技术文件规定值	第6.21.4条		
一般项目	1	设备支座与基础之间的连接螺栓材料、安装质量	第3.5.3条		
	2	垫铁的安装质量	第3.5.4条		
	3	设备采用二次灌浆方式固定时灌浆的安装质量，或设备采用锚栓方式固定时后锚固连接的质量	第3.5.5条或第3.4.2条		
	4	法兰密封面及密封件质量	第6.21.3条		

施工质量验收规范的规定					施工单位检查评定记录或状态	监理(建设)单位验收记录
一般项目	5	安装允许偏差	项 目	允许偏差(mm)	测量值或状态	
			进口法兰中心线与相对应管口的中心线位置 纵向	±1		
			横向	±1		
			标高	±3		
			进口法兰水平度	1/1000		
			出料口方位(必要时)	10		
施工单位检查评定结果						
监理(建设)单位验收结论						

附录 AC 切片包装机安装及试运行
检验批质量验收记录

表 AC 切片包装机安装及试运行检验批质量验收记录表

工程名称			项目经理		记录编号	
单位工程名称			专业负责人		检验批编号	
分部工程名称			设备名称			
分项工程名称			设备位号			
施工单位			设备台数			
施工执行标准 名称及编号			本 规 范			

施工质量验收规范的规定				施工单位检查 评定记录或状态	监理(建设)单 位验收记录
主控 项目	1	设备资料	第3.2.5条		
	2	设备开箱质量	第3.2.6条		
	3	混凝土或钢平台基础 复查	第3.3.2条或第 5章		
	4	每对法兰或接头之间的 电阻值不应大于技术文件 规定值	第6.22.3条		
一般 项目	1	设备支座与基础之间的 连接螺栓材料、安装质量	第3.5.3条		
	2	垫铁的安装质量	第3.5.4条		
	3	设备采用二次灌浆方式 固定时灌浆的安装质量， 或设备采用锚栓方式固定 时锚固连接的质量	第3.5.5条或第 3.4.2条		

续表 AC

		施工质量验收规范的规定				施工单位检查评定记录或状态	监理(建设)单位验收记录
一般项目	4	安装允许偏差	项 目		允许偏差(mm)	测量值或状态	
			中心线	纵向	±10		
				横向	±10		
			标高		±10		
			底座水平度	纵向	1/1000		
				横向	1/1000		
	5	试运行			符合设备技术文件和设计文件规定		
施工单位检查评定结果							
监理(建设)单位验收结论							

附录 AD　水下切粒机安装及试运行检验批质量验收记录

AD.0.1 铸带头安装检验批质量验收记录应符合表 AD.0.1 的规定。

表 AD.0.1　铸带头安装检验批质量验收记录表

工程名称				项目经理		记录编号		
单位工程名称				专业负责人		检验批编号		
分部工程名称				设备名称				
分项工程名称				设备位号				
施工单位				设备台数				
施工执行标准名称及编号				本　规　范				
施工质量验收规范的规定						施工单位检查评定记录或状态		监理(建设)单位验收记录
主控项目	1	设备资料		第3.2.5条				
	2	设备开箱质量		第3.2.6条				
	3	固定支架的混凝土基础复查		第3.3.2条				
一般项目	1	铸带头固定支架的制作		第5章				
	2	安装允许偏差	项　目	允许偏差(mm)	测量值或状态			
			铸带头出口中心标高	±5				
			铸带头出口中心线在全长度上与水平面的距离	±0.2				
			铸带头出口中心线与水平面的角度	±0.5°				
			铸带头出口中心线与横向定位中心线的角度	±0.5°				
			铸带头中心线与水下切粒机中心线的同心度	±2				
			成排同类型设备间距	±10				
			成排同类型设备端面(中心线)平行度	≤10				
施工单位检查评定结果								
监理(建设)单位验收结论								

AD.0.2 水下切粒机、双过滤器水分配器和切割室安装及试运行检验批质量验收记录应符合表 AD.0.2 的规定。

表 AD.0.2 水下切粒机、双过滤器水分配器和切割室安装及
试运行检验批质量验收记录表

工程名称			项目经理		记录编号	
单位工程名称			专业负责人		检验批编号	
分部工程名称			设备名称			
分项工程名称			设备位号			
施工单位			设备台数			
施工执行标准 名称及编号			本 规 范			

施工质量验收规范的规定				施工单位检查 评定记录或状态	监理(建设)单 位验收记录
主控 项目	1	设备资料	第3.2.5条		
	2	设备开箱质量	第3.2.6条		
	3	混凝土基础复查	第3.3.2条		
一般 项目	1	设备支座与基础之间的连接 螺栓材料、安装质量	第3.5.3条		
	2	垫铁的安装质量	第3.5.4条		
	3	设备采用二次灌浆方式固定 时灌浆的安装质量,或设备采 用锚栓方式固定时后锚固连接 质量	第3.5.5条或 第3.4.2条		
	4	导向槽板底边延长线与后进 料轴顶部相切或略高	第6.23.4条		
	5	双过滤器水分配器的组装、 安装位置、方位			
	6	常温及工作温度下切割室的 轴线与导向槽板平行,导向槽 板与后轴之间的间隙在整个宽 度上一致,宽度值符合设备技 术文件的规定	宽度值(mm)		
			规定值(mm)		

145

		施工质量验收规范的规定		施工单位检查评定记录或状态	监理(建设)单位验收记录
		项　目	允许偏差(mm)	测量值或状态	
一般项目	7 安装允许偏差	切割室轴线水平度	0.5/1000		
		切割室轴线与铸带头及导向槽板中心线垂直度	±0.5°		
		导向槽板与后轴之间的间隙	±0.2		
		切割室中心与切割室吊轨中心线	±5		
		成排同类型设备间距	±10		
		成排同类型设备端面(中心线)平行度	≤10		
	8	试运行	符合设备技术文件和设计文件规定		
施工单位检查评定结果					
监理(建设)单位验收结论					

AD.0.3 长料预分离器、带水切片输送管道和支架安装及试运行检验批质量验收记录应符合表 AD.0.3 的规定。

表 AD.0.3　长料预分离器、带水切片输送管道和支架安装及试运行检验批质量验收记录表

工程名称		项目经理		记录编号	
单位工程名称		专业负责人		检验批编号	
分部工程名称		设备名称			
分项工程名称		设备位号			
施工单位		设备台数			
施工执行标准名称及编号		本　规　范			

		施工质量验收规范的规定		施工单位检查评定记录或状态	监理(建设)单位验收记录
主控项目	1	设备资料	第 3.2.5 条		
	2	设备开箱质量	第 3.2.6 条		
	3	混凝土基础复查	第 3.3.2 条		

施工质量验收规范的规定				施工单位检查评定记录或状态	监理(建设)单位验收记录
一般项目	1	设备支座与基础之间的连接螺栓材料、安装质量	第3.5.3条		
	2	垫铁的安装质量	第3.5.4条		
	3	设备采用二次灌浆方式固定时灌浆的安装质量,或设备采用锚栓方式固定后锚固连接质量	第3.5.5条或第3.4.2条		
	4	带水切片输送管道连接口应密封良好,无漏水现象	第6.23.5条		
	5	带水切片输送管道支架布置的均匀性,运行时振动及弯曲情况			
	6	长料预分离器上沿高度与切割室后的出料斗出口的高度差应符合设备技术文件的规定	宽度值(mm)		
			规定值(mm)		
	7 安装允许偏差	项　目	允许偏差(mm)	测量值或状态	
		长料预分离器与切割室中心线	±1		
		长料预分离器上沿高度与切割室后的出料斗出口的高度差	±1		
		带水切片输送管道的倾斜度	±1°		
		成排同类型设备间距	±10		
		成排同类型设备端面(中心线)平行度	≤10		
	8	试运行	符合设备技术文件和设计文件规定		
施工单位检查评定结果					
监理(建设)单位验收结论					

AD.0.4 切片干燥机安装及试运行检验批质量验收记录应符合表 AD.0.4 的规定。

表 AD.0.4 切片干燥机安装及试运行检验批质量验收记录表

工程名称			项目经理		记录编号	
单位工程名称			专业负责人		检验批编号	
分部工程名称			设备名称			
分项工程名称			设备位号			
施工单位			设备台数			
施工执行标准 名称及编号		本 规 范				

施工质量验收规范的规定				施工单位检查 评定记录或状态	监理(建设)单 位验收记录
主控 项目	1	设备资料	第3.2.5条		
	2	设备开箱质量	第3.2.6条		
	3	混凝土基础复查	第3.3.2条		
一般 项目	1	设备支座与基础之间的连接螺栓材料、安装质量	第3.5.3条		
	2	垫铁的安装质量	第3.5.4条		
	3	设备采用二次灌浆方式固定时灌浆的安装质量,或设备采用锚栓方式固定时后锚固连接质量	第3.5.5条或 第3.4.2条		
	4	安装允许偏差	成排同类型设备间距偏差	±10	
			成排同类型设备端面(中心线)平行度偏差	≤10	
			符合厂商技术文件和设计文件规定		
	5	试运行	符合设备技术文件和设计文件规定		
施工单位检查评定结果					
监理(建设)单位验收结论					

附录 AE 卧式缩聚反应器安装及盘车检验批质量验收记录

AE.0.1 鞍座型卧式反应器安装检验批质量验收记录应符合表 AE.0.1 的规定。

表 AE.0.1 鞍座型卧式反应器安装检验批质量验收记录表

工程名称			项目经理		记录编号	
单位工程名称			专业负责人		检验批编号	
分部工程名称			设备名称			
分项工程名称			设备位号			
施工单位			设备台数			
施工执行标准名称及编号			本 规 范			
施工质量验收规范的规定				施工单位检查评定记录或状态	监理(建设)单位验收记录	
主控项目	1	设备资料	第3.2.5条			
	2	设备开箱质量	第3.2.6条			
	3	混凝土或钢平台基础复查	第3.3.2条或第5章			
	4	气帽组焊	第6.2.7条			
一般项目	1	固定底板、导向槽和滑动(滚动)底板与结构预埋钢板(或钢支架)焊接	第6.24.1条			
	2	垫铁的安装质量	第3.5.4条			
	3	仪表专用套筒的现场焊接及焊缝质量	第6.2.5条			

施工质量验收规范的规定					施工单位检查评定记录或状态	监理(建设)单位验收记录
一般项目	4	安装允许偏差	项　目	允许偏差(mm)	测量值或状态	
			中心线位置	±5		
			中心线角度	±0.5/1000		
			反应器支座标高	±10		
			主轴与转动轴的水平度	1.0/1000		
			导向块与反应器中心线平行度	±1.0/1000		
			导向块与导向槽垂直方向间隙及偏差	25±5		
			导向块与导向槽侧壁间隙	±1.0		
			滚动式底板上滚轮轴方向与反应器中心线垂直度	±1.0/1000		
			冷态时反应器主轴与减速箱轴的同轴度	最大允许偏差的10%以内		
施工单位检查评定结果						
监理(建设)单位验收结论						

AE.0.2 机架型卧式反应器安装检验批质量验收记录应符合表 AE.0.2 的规定。

表 AE.0.2　机架型卧式反应器安装检验批质量验收记录表

工程名称		项目经理		记录编号	
单位工程名称		专业负责人		检验批编号	
分部工程名称		设备名称			
分项工程名称		设备位号			
施工单位		设备台数			
施工执行标准名称及编号		本　规　范			

		施工质量验收规范的规定		施工单位检查评定记录或状态	监理(建设)单位验收记录
主控项目	1	设备资料	第3.2.5条		
	2	设备开箱质量	第3.2.6条		
	3	混凝土或钢平台基础复查	第3.3.2条或第5章		
一般项目	1	固定机架立柱与基础上预埋钢板的连接	第3.5.3条		
	2	垫铁的安装质量	第3.5.4条		
	3	机架之间的连接与固定	第6.24.2条		
	4	松开4个反应器耳座的固定螺栓1mm~3mm	第6.24.2条		
	5	仪表专用套筒的现场焊接及焊缝质量	第6.2.5条		

		项　目	允许偏差(mm)	测量值或状态	
一般项目	6 安装允许偏差	中心线位置	±5		
		中心线角度	±0.5/1000		
		机架标高	±10		
		主轴轴伸的水平度	1.0/1000		
		冷态时反应器主轴与减速箱轴的同轴度	最大允许偏差的10%以内		

施工单位检查评定结果	
监理(建设)单位验收结论	

AE.0.3 反应器手动和电动盘车、升温过程中盘车及热态对中检验批质量验收记录应符合表 AE.0.3 的规定。

表 AE.0.3 反应器手动和电动盘车、升温过程中盘车及

热态对中检验批质量验收记录表

工程名称			项目经理		记录编号	
单位工程名称			专业负责人		检验批编号	
分部工程名称			设备名称			
分项工程名称			设备位号			
施工单位			设备台数			
施工执行标准 名称及编号			本 规 范			
施工质量验收规范的规定				施工单位检查 评定记录或状态		监理(建设)单 位验收记录
一般项目	1	反应器冷态手动盘车	第6.24.3条			
	2	反应器冷态电动盘车				
	3	反应器升温过程中的盘车				
	4	反应器热态对中校核				
	5	驱动装置的电动盘车	转向应符合转向标记			
			连续空载时间不应小于 2h			
			连接联轴器后,连接运转时间不应少于 30min			
			运转过程中应检查驱动电机电流及温升等不应超过规定值			
			电机、减速箱等处应无异常杂音			
			各连接密封点应无跑、冒、滴、漏现象			
			轴承温升不应超过 40℃且温度不超过 75℃,轴承振动应符合设计规定			
			设备各紧固部位应无松动现象			
			整机应无明显振动			
			转动噪声应小于 85dB			
施工单位检查评定结果						
监理(建设)单位验收结论						

附录 AF 低聚物刮除器安装质量验收记录

表 AF 低聚物刮除器安装质量检验批验收记录表

工程名称			项目经理		记录编号		
单位工程名称			专业负责人		检验批编号		
分部工程名称			设备名称				
分项工程名称			设备位号				
施工单位			设备台数				
施工执行标准名称及编号		本规范及现行国家标准《机械设备安装工程施工及验收通用规范》GB 50231					
施工质量验收规范的规定					施工单位检查评定记录或状态	监理(建设)单位验收记录	
主控项目	1	设备资料	本规范第3.2.5条				
	2	设备开箱质量	本规范第3.2.6条				
	3	混凝土或钢平台基础复查	本规范第3.3.2条或第5章				
	4	本体分段组焊	本规范第6.2.2条				
	5	锁紧螺母应松开至螺纹最上端	本规范第6.25.1条				
一般项目	1	设备支座与基础之间的连接螺栓材料、安装质量	本规范第3.5.3条				
	2	垫铁的安装质量	本规范第3.5.4条				
	3	调整或复核弹性支座的压缩量	本规范第6.25.1条				
	4	鞍座与基础架的连接	本规范第6.25.1条				
	5	密封罐的安装和密封管道的连接	本规范第6.25.1条及 GB 50231 相关条款				

续表 AF

施工质量验收规范的规定				施工单位检查评定记录或状态	监理(建设)单位验收记录
一般项目	6 安装允许偏差	项　目	允许偏差(mm)	测量值或状态	
		卧式段筒体及垂直段中心线位置　轴向	±3		
		卧式段筒体及垂直段中心线位置　径向	±3		
		卧式段中心线角度	±0.5/1000		
		标高	±10		
		弹性支座本体安装水平度　轴向	1/1000		
		弹性支座本体安装水平度　径向	1/1000		
		4 个弹性支座上表面高度差	±0.5		
		4 个弹性支座在基础架下的位置	±1		
		卧式段筒体水平度　轴向	1.5/1000		
		卧式段筒体水平度　径向	2.0/1000		
		立式段筒体管口方位(沿垂直段底部圆周测量)	±10		
		立式段筒体铅垂度	1/1000		
		聚合物刮除器主轴与减速机轴伸的同心度	最大允许偏差的 10%以内		
施工单位检查评定结果					
监理(建设)单位验收结论					

本规范用词说明

1 为便于在执行本规范条文时区别对待，对要求严格程度不同的用词说明如下：

  1）表示很严格，非这样做不可的：

    正面词采用"必须"，反面词采用"严禁"；

  2）表示严格，在正常情况下均应这样做的：

    正面词采用"应"，反面词采用"不应"或"不得"；

  3）表示允许稍有选择，在条件许可时首先应这样做的：

    正面词采用"宜"，反面词采用"不宜"；

  4）表示有选择，在一定条件下可以这样做的，采用"可"。

2 条文中指明应按其他有关标准执行的写法为："应符合……的规定"或"应按……执行"。

引用标准名录

《自动化仪表工程施工及质量验收规范》GB 50093

《混凝土强度检验评定标准》GB/T 50107

《工业设备及管道绝热工程施工规范》GB 50126

《电气装置安装工程　接地装置施工及验收规范》GB 50169

《工业金属管道工程施工质量验收规范》GB 50184

《工业设备及管道绝热工程施工质量验收规范》GB 50185

《混凝土结构工程施工质量验收规范》GB 50204

《钢结构工程施工质量验收规范》GB 50205

《机械设备安装工程施工及验收通用规范》GB 50231

《工业金属管道工程施工规范》GB 50235

《电气装置安装工程　爆炸和火灾危险环境电气装置施工及验收规范》GB 50257

《风机、压缩机、泵安装工程施工及验收规范》GB 50275

《起重设备安装工程施工及验收规范》GB 50278

《建筑工程施工质量验收统一标准》GB 50300

《建筑电气工程施工质量验收规范》GB 50303

《1kV 及以下配线工程施工与验收规范》GB 50575

《建筑物防雷工程施工与质量验收规范》GB 50601

《钢结构工程施工规范》GB 50755

《石油化工大型设备吊装工程规范》GB 50798

《压力容器　第 4 部分:制造、检验和验收》GB 150.4

《职业健康监护技术规范》GBZ 188

《建筑卷扬机》GB/T 1955

《工业企业厂内铁路、道路运输安全规程》GB 4387

《机械电气安全 机械电气设备 第1部分:通用技术条件》GB 5226.1

《个体防护装备选用规范》GB/T 11651

《建筑施工场界环境噪声排放标准》GB 12523

《压力管道规范 工业管道》GB/T 20801

《夹套管施工及验收规范》FZ 211

《悬挂运输设备轨道》G359-1～4

《机械搅拌设备》HG/T 20569

《混凝土结构后锚固技术规程》JGJ 145

《固体料仓》NB/T 47003.2

《承压设备无损检测 第2部分:射线检测》NB/T 47013.2

《承压设备无损检测 第4部分:磁粉检测》NB/T 47013.4

《承压设备无损检测 第5部分:渗透检测》NB/T 47013.5

《石油化工仪表工程施工技术规程》SH/T 3521

《石油化工涂料防腐蚀工程施工质量验收规范》SH/T 3548

《石油化工涂料防腐蚀工程施工技术规程》SH/T 3606

中华人民共和国国家标准

聚酯及固相缩聚设备工程安装与质量验收规范

GB/T 51193 - 2016

条 文 说 明

制 订 说 明

《聚酯及固相缩聚设备工程安装与质量验收规范》GB/T 51193—2016 经住房城乡建设部 2016 年 8 月 26 日以第 1290 号公告批准发布。

本规范在编制过程中,编制组对我国多个聚酯及固相缩聚设备安装工程现场进行了调查研究,主编单位总结了多年同类工程总承包工作经验,同时参考了多个石油化工及纺织化纤设备安装验收规范,确保本规范的可操作性和实用性。

为便于广大设计、施工、科研、生产企业和监督部门等单位的工程技术人员在使用本规范时能正确理解和执行条文规定,《聚酯及固相缩聚设备工程安装与质量验收规范》编制组按章、节、条顺序编制了本规范的条文说明,对条文规定的目的、依据以及执行中需注意的有关事项进行了说明,但本条文说明不具备与规范正文同等的法律效力,仅供使用者作为理解和把握本规范的参考。

目　　次

1 总　　则

1.0.1　本条中聚酯设备指采用以二元羧酸和二元醇为主要原料，经酯化、缩聚过程生产熔体或切片的主装置内的工艺、电气及仪表设备；固相缩聚设备指将较低黏度聚酯切片以固体形式增加到较高黏度切片的主装置内的工艺、电气及仪表设备。

1.0.2　本条对规范的适用范围作了规定，聚酯设备工程安装包括原料的投料和输送、浆料调配输送、酯化、缩聚、切片生产、切片输送、切片储存（包装）、汽提、过滤器清洗各系统以及与后续直接纺丝衔接的布置在聚酯主装置界区内的部分熔体管道和电气、仪表设备的安装。固相缩聚设备工程安装包括切片接受、预结晶、结晶、预热、反应、冷却除尘、产品输送及储存（包装），以及辅助单元的氮气循环处理系统和热媒循环加热系统和电气、仪表设备的安装。与主装置配套的装置（如罐区）、外围公用工程（如热媒站、循环水站、空压冷冻站、变配电站等）、厂区工程不包括在本规范内。如果部分或全部循环水站、空压站和冷冻站位于聚酯或固相缩聚装置内，这部分设备的安装也不包括在本规范内。

2 术语和代号

2.1 术　　语

2.1.7 聚酯工程 polyester engineering

以二元羧酸和二元醇为主要原料,经浆料配制、酯化、缩聚过程生产熔体或切片的聚酯工程按原料的不同主要分为如下几种:

PTA(精对苯二甲酸)和 EG(乙二醇)生产 PET(聚精对苯二甲酸乙二醇酯)

PTA(精对苯二甲酸)和 BDO(1,4-丁二醇)生产 PBT(聚精对苯二甲酸丁二醇酯)

PTA(精对苯二甲酸)和 PDO(1,3-丙二醇)生产 PTT(聚精对苯二甲酸丙二醇酯)

3 基 本 规 定

3.1 一 般 规 定

3.1.1 安装前完成设计交底和图纸会审,施工组织设计、施工方案等审核批准以及施工技术交底和熟悉设备安装操作手册等,是安装作业前应该完成的技术准备工作,其中设计交底和图纸会审应形成相关纪要,对相关问题设计方需书面答复;施工组织设计、施工方案等应先施工单位内部审批,再经过业主或监理审批后方可实施;对设备基础进行复验可以避免因设计或土建施工错误造成设备安装返工或延期等损失,特别是大型设备安装,对设备基础复验尤为重要。

3.1.5 特种设备及管道上安全附件的保管、安装、检查等相应的特种设备安全技术规范主要有以下规程:

安全阀的安装及安装前检查应符合《安全阀安全技术监察规程》TSG ZF001 和《固定式压力容器安全技术监察规程》TSG R0004 的规定。

爆破片的装运保管、安装及检查应符合《爆破片装置安全技术监察规程》TSG ZF003 和《固定式压力容器安全技术监察规程》TSG R0004 的规定。

压力表、液位计的安装应符合《固定式压力容器安全技术监察规程》TSG R0004 的规定。

3.1.7 本条对聚酯及固相缩聚设备工程安装质量验收单位工程、分部工程的划分是按照现行国家标准《工业安装工程施工质量验收统一标准》GB 50252 的要求进行编制的。其中,管道工程指装置内的工艺管道、公用工程管道以及工艺用撬装设备的相关管道;电气及仪表工程指主装置内控制柜到设备之间的设备、电缆(动力及控制）、仪表。

3.2　设备开箱检查

3.2.1　本条中参与开箱的相关方人员指：供货方、采购方及安装单位人员。采购方人员应提前熟悉采购合同及相关附件，必要时供货方应提前提供相关装箱单复印件或传真件，便于提前做好开箱准备。

3.2.3　对于有无外包装箱的设备都应进行设备外观检查。

3.2.5　压力容器应提供的技术文件和资料是按照《固定式压力容器安全技术监察规程》TSG R0004 规定的内容列出的。

3.3　设　备　基　础

3.3.2　本条是在本规范第 3.3.1 条规定的两个规范基础上，结合聚酯及固相缩聚安装工程的特点而具体提出了验收标准。

3.4　后锚固连接

3.4.1　后锚固连接的施工适用于设备基础型钢或钢板与混凝土的连接，也适用于管道、仪表、电气等专业管架支撑型钢或钢板与混凝土的连接。

3.7　设备的试压、清扫和封闭

3.7.1　泄漏性试验常用的有发泡剂检漏试验、氦气检漏试验和氨气检漏试验等，应根据现场实际情况选用合适的方式进行试验。

3.7.5　水质氯离子含量不得超过 25mg/L，是根据现行国家标准《工业金属管道工程施工规范》GB 50235 和《压力容器》GB 150 相关条款提出的。

3.7.8～3.7.11　均根据现行国家标准《工业金属管道工程施工规范》GB 50235 提出。

3.7.12　真空泄漏试验主要是检查轴封、法兰连接面、仪表接头和主要焊缝的密封性。保证热态真空泄漏率在规定的范围内,是保证产品质量的前提。目前,对真空度要求较高的聚酯装置常用氦检漏。试验时,将系统抽到要求的真空度,在法兰连接处等怀疑漏点处喷适量的氦气,如果与系统连接的氦检漏仪发出报警信号,说明此处氦气通过漏点进入系统,漏点进行处理后,再重复进行氦检漏,直至合格为止。

3.7.15 设备的清扫可以在各种试验进行之前完成。聚酯装置中各反应器及固相缩聚中的结晶器和反应器,盛装原料、中间产品和最终产品的料仓,其内表面直接与原料或产品接触,为使原料清洁、产品尽快达到合格品,一般对设备内表面进行擦拭。

3.8　设备单机试运行

3.8.1 本条的相关人员指施工单位、业主及供货商技术人员,而且要求在试运行前,认真熟悉供货商提供的技术说明书,掌握操作要领。

3.8.2 撬装、大型机组设备及成套设备相对复杂,并且往往配套有独立的控制系统,在试运行过程中需要机电仪协调配合,要求高,难度大,故要求供货商技术人员到场指导,以保证试运行的质量。

3.8.4 本条的主要目的是为了在试运行中使出现问题的设备能及时得到处理或修复,以保证试运行能顺利进行。

3.9　安装工程质量验收

3.9.1 本条规定了安装工程交工验收应具备的条件和验收步骤。

1 交工前施工方应提前进行预验收,并整理汇总相关记录文件。

2 安装技术资料和质量记录文件包括施工图或按实际完成情况注明修改部分的施工图,设计修改的有关文件,主要材料、加工件和成品的出厂合格证书、检验记录或检验资料,重要焊接工作的焊接质量评定书、检验记录、焊工考试合格证复印件,隐蔽工程质量检验及验收记录,地脚螺栓、无垫铁安装和垫铁灌浆所用混凝土的配合比和强度试验记录,试运转各项检查记录,质量问题及其处理的有关文件和记录,其他有关资料。

3 施工安装过程中,设备随机配置的专用工器具、随机备品备件等往往会暂存在施工方,本款规定上述内容也属交接范围。

5 转动设备、撬装设备的单机试运行达标,是整个装置后续联动运行成功的保证。对设备性能及其检测参数除满足合同要求外,必要时还应参考设备使用说明书的相关内容。

3.9.2 参与工程质量验收的各方包括建设单位、设计单位、总承包单位(如有)、施工单位及设备供货单位。

4 场内设备运输及吊装

4.1 场内设备运输

4.1.2 本条是为了保证运载大型设备的平板车能顺利进出场。对地下设施进行的保护措施应根据所处位置、地质情况和地下设施的允许承载力确定。

4.1.3 聚酯及固相缩聚设备最大单体空重近200t,按设计文件指定的运输路线进行平移运输,才能保证厂房结构上的安全。

4.1.4 履带式重物移运器亦称为履带式搬运小坦克。

4.2 设备吊装

4.2.1 虽然现行国家标准《石油化工大型设备吊装工程规范》GB 50798的适用范围是石油化工工程项目,且设备质量大于或等于100t或设备一次性吊装长度或高度大于或等于60m的吊装工程,但其对于吊装工程安全、吊装机具、绳索等的基本要求同样适用于非石油化工大型设备的吊装。

聚酯及固相缩聚设备中,主反应器的重量一般都大于100t,固相缩聚反应器长度接近60m,应严格按照现行国家标准《石油化工大型设备吊装工程规范》GB 50798的相关条款执行。

4.2.2 在现行国家标准《石油化工大型设备吊装工程规范》GB 50798—2012中第3.0.7条提到"大型设备吊装应编制吊装方案",其吊装方案应包括但不限于下列内容:

(1)编制说明及依据。

(2)工程概况:

1)工程特点;

2)设备参数表。

（3）吊装工艺设计：

1）设备吊装工艺要求；

2）吊装参数表；

3）吊装机具安装拆除工艺要求

4）设备支、吊点位置及结构设计图和局部加固图；

5）吊装平、立面布置图；

6）地锚施工图；

7）吊装作业区域地基处理措施；

8）地下工程和架空电缆施工规定；

9）吊装机具材料汇总表；

10）吊装进度计划；

11）相关专业交叉作业计划。

（4）吊装组织体系。

（5）安全保证体系及措施。

（6）吊装工作危险性分析（JHA）表或 HSE 危害分析。

（7）质量保证体系及措施。

（8）吊装应急预案。

（9）吊装计算书：

1）主起重机和辅助起重机受力分配计算；

2）吊装安全距离计算；

3）吊耳强度核算；

4）吊索、吊具安全系数核算。

在现行国家标准《石油化工大型设备吊装工程规范》GB 50798—2012 中第 3.0.17 条提到"吊装前应根据吊装方案组织包括自检、联合检查等内容的安全质量检查"，其检查方式和检查内容为：

（1）班组自检：

1）吊钩、吊具、钢丝绳的选用和设置应符合吊装方案的要求，其质量符合安全技术要求；

2）电气装置、液压装置、离合器、制动器、限位器、防碰撞装置、警报器等操纵装置和安全装置应符合使用安全技术条件，并进行无负荷试验；

3）地面附着物情况、起重机械与地面的固定（包括地锚、缆风绳等）或垫木的设置情况；

4）确认起重机具作业空间范围内的障碍物及其预防措施；

5）设备吊耳及加固措施，设备内、外部无坠落物和杂物。

（2）项目复检：

1）班组自检记录及自检整改结果；

2）吊装设备基础及回填土夯实情况；

3）随设备一起吊装的管线、钢结构及设备内件的安装情况；

4）复查起重机具、索具及起重机械。

（3）联合检查：

1）吊装方案及吊装前的准备工作；

2）吊装安全质量保证体系、管理人员及施工作业人员资格；

3）安全质量保证措施的落实情况；

4）设备准备情况；

5）施工用电；

6）其他方面的准备工作。

在现行国家标准《石油化工大型设备吊装工程规范》GB 50798—2012 中第 3.0.19 条提到"大型设备正式吊装前应进行试吊"，试吊和正式吊装时应遵守下列规定：

（1）对设备吊点处和变径、变厚处等设备及塔架的危险截面，宜实测其应力，细长设备应观察其挠度；

（2）对卷扬机应实测传动机构温升和电动机的电流、电压及温升；

（3）吊车吊装时应观测吊装安全距离及吊车支腿处地基变化情况；

（4）进行机索具的受力情况观测。

在现行国家标准《石油化工大型设备吊装工程规范》GB 50798—2012 中第 3.0.23 条提到"吊装过程中不得有冲击现象"。为防止冲击现象,在吊装过程中设备易摆动及旋转的情况下,应采用设置溜绳等安全措施,防止设备在吊装过程中摆动、旋转。

在现行国家标准《石油化工大型设备吊装工程规范》GB 50798—2012 中第 3.0.25 条提到"拖拉绳跨越道路时,离路面高度不宜低于 6m,并应悬挂明显标志或警示牌"。吊装过程中的动力电缆、信号缆和钢丝绳的布置应作出明显清晰的标志,动力电缆、信号缆不得对交通和相邻的施工作业有影响。

吊装还应根据反应器、结晶器等设备到货时间,大型吊车租赁时间,厂房施工进度,设备布置图的方位要求等确定吊装方案。根据被吊装设备在厂房内布置位置确定吊装的先后顺序。

4.2.3 聚酯及固相缩聚设备中反应器大多空重在 50t 以上,且就位位置多数位于厂房内部,支座式卧式设备及裙座式立式设备在调整时应采用千斤顶支撑鞍座或裙座方式进行。

4.2.6 本条规定的目的是为了减少高空作业量。

4.2.7 小型设备指单体重量小于 5t 的设备。可以采用电动或手动葫芦、人字架、倒链等吊装设备。

4.2.8 在现行国家标准《风机、压缩机、泵安装工程施工及验收规范》GB 50275—2010 第 2.1.2 条中对风机的搬运和吊装有如下要求:

(1)整体出厂的风机搬运和吊装时,绳索不得捆缚在转子和机壳上盖及轴承上盖的吊耳上;

(2)解体出厂的风机搬运和吊装时,绳索的捆缚不得损伤机件表面,转子和齿轮的轴颈、测量振动部位,不得作为捆缚部位,转子和机壳的吊装应保持水平;

(3)输送特殊介质的风机转子和机壳内涂有的保护层应妥善保护,不得损伤;

(4)转子和齿轮不应直接放在地上混动或移动。

6 设 备 安 装

6.1 一 般 规 定

6.1.2 设备安装技术文件与资料具体有以下内容：

（1）设备安装应具有下列资料：

1）设计文件；

2）产品质量证明文件；

3）标准规范；

4）施工技术文件。

（2）根据《固定式压力容器安全技术监察规程》TSG R0004—2009 第 4.1.4.1 款规定，压力容器出厂时，制造单位应当向使用单位至少提供以下技术文件和资料：

1）竣工样图，竣工样图上应当有设计单位许可印章（复印章无效），并且加盖制造单位竣工图章（竣工图章上标注制造单位名称、制造许可证编号、审核人的签字和"竣工图"字样）；如果制造中发生了材料代用、无损检测方法改变、加工尺寸变更等，制造单位按照设计单位书面批准文件的要求在竣工图样上作出清晰标注，标注处有修改人的签字及修改日期。

2）压力容器产品合格证（含产品数据表，样式见《固定式压力容器安全技术监察规程》TSG R0004—2009 附件 B）、产品质量证明文件（包括主要受压元件材质证明书、材料清单、质量计划或者检验计划、结构尺寸检验报告、焊接记录、无损检测报告、热处理报告及自动记录曲线、耐压试验报告及泄漏性试验报告等）和产品铭牌的拓印件或者复印件。

3）特种设备制造监督检验证书（适用于实施监督检验的产品）。

4)设计单位提供的压力容器设计文件。

6.1.3 聚酯及固相缩聚安装工程的土建基础工程由土建单位施工,混凝土基础施工单位应按照相关标准验收后,向设备安装单位进行中间交接,未经验收和中间交接的设备基础不得进行设备安装。钢平台作为单位工程(或子单位工程)验收合格后才能进行设备就位。

6.1.4 设备布置图是设备安装定位唯一的技术文件,再次确认能避免结构基础与设备布置不一致时造成的安装错误。如果是成套设备安装,应按照设备布置图上写明的供应商厂家图纸进行安装定位。

6.1.7 对于卧式设备,设备布置图上一般标出设备支座固定端的定位尺寸或者重要管口的定位尺寸,应以标注定位尺寸的定位线作为纵向位置的测量基准。

6.1.8 在聚酯及固相缩聚工程中,有许多管口对应的设备,但管口之间有管道相连且有一定的管道长度,一般通过管道可以消化两端设备安装误差的影响,但对于设备管口之间对应关系要求严格或仅通过阀门、成型管件直连及管道长度不足以补偿管口间安装误差的设备,应以管口作为定位的测量基准。

设备支座包括裙式支座、鞍式支座、耳式支座、支架式支座等。

6.1.9 设备标高的测量基准一般有两种:
(1)设备支座的底面标高;
(2)设备上重要管口标高。

6.1.10 设备方位的测量基准一般是设备重要管口的方位。当管口位于 0°、90°、180°、270°时,设备布置图上不标明角度,应按照图示的方位安装。当设备在各方位上没有管口,但设备外形为方形、长方形或特殊形状等具有明显特征时,应以设备布置图所示的方位进行安装。

6.1.14 现行国家标准《风机、压缩机、泵安装工程施工及验收规范》GB 50275 中齿轮泵在聚酯生产设备中为添加剂齿轮泵,聚酯生产设备中的预聚物及熔体输送泵也是齿轮泵,但不属于本条范围,见第6.14节。

6.2　设备现场组装及组焊

6.2.1　在聚酯项目中,法兰组装的设备一般有汽提塔、乙二醇分离塔等。

6.2.2　聚酯工程设备中的反应器气帽、低聚物刮除器、乙二醇蒸汽喷射泵、乙二醇分离塔及固相缩聚工程设备中的固相缩聚反应器、预结晶器有在施工现场进行组焊的情况。本条对组焊的要求基本是按照现行国家标准《压力容器》GB 150的相关条款提出。

6.3　塔　内　件

6.3.3　预组装的目的是在进塔安装前先在塔外按组装图把待安装塔盘零部件组装一层,检查其配合度,并调整不符合要求的零部件。

6.5　卧式容器及卧式换热器

6.5.3　如果容器本体上还安装有其他设备,如还安装了立式搅拌器,则其本体部分安装要求按照本节的规定,立式搅拌器的安装要求应按照第6.4节的规定。

6.9　蒸汽喷射泵组及机架

6.9.1　在设计时为保证蒸汽更顺畅地进入蒸汽喷射泵,一般蒸汽喷射泵组中的第一喷射器管口应与终缩聚低聚物刮除器出口的中心线重合,所以本条提出安装先后顺序。

6.9.2～6.9.6　这几条述及的是目前聚酯生产装置中最常用的终缩聚系统和预缩聚系统共用一套真空系统时的蒸汽喷射泵组及机架的安装。

6.9.7　蒸汽喷射泵组的机架应在冷态安装时与基础之间处于固

定不动的状态,升温过程中机架应在滚轮上沿热膨胀方向移动。

6.10　预聚物和熔体过滤器

6.10.2　本条规定是为了保证使用葫芦吊起滤芯组时能顺利起升和放下。

6.10.3～6.10.5　这几条述及的是目前聚酯生产装置中最常用的烛式立式预聚物和熔体过滤器的安装,其他形式过滤器的安装应按照设备安装技术文件执行。

6.10.7　内筒在制造厂都进行了压力试验。根据过滤器密封结构及每次清洗时更换部件的不同,一般不需要每次都进行泄漏性试验。泄漏性试验用来检查现场组装的阀门等密封部件的安装质量。

6.11　预结晶器、结晶器和预加热器

6.11.1　预结晶器和结晶器种类有沸腾床、振动流化床式、脉冲式、双螺杆式,是整体安装,预加热器为立式设备,设备较高,通常分段安装,它们与一般的静设备和动设备安装方法基本上相同。

6.13　氮气净化单元

6.13.1～6.13.3　氮气净化单元是固相缩聚生产装置重要的组成部分。在 SSP 生产过程的预加热段和反应段应用氮气作为传热介质对切片进行加热或冷却。在生产过程中,采用氮气循环使用、新鲜氮气作为少量补充的方式进行生产。循环氮气中的杂质和水分是影响固相缩聚的反应速率和切片乙醛含量的重要因素。用过的氮气应经过净化—冷却—干燥—再使用这样一个循环过程。氮气净化工序是为了除去循环氮气中的氧和碳氢化合物等杂质,氮气干燥工序则是为了除去循环氮气中的水分。

6.14　预聚物输送泵、熔体输送泵

本节中所指的预聚物输送泵、熔体输送泵特指连接在管道之

间的上进下出类型的齿轮泵,不适用平进平出类型的齿轮泵。

6.14.1 泵体的位置与相对应的反应器出料口位置相关,所以其安装顺序应在反应器安装结束后进行。

6.14.2 泵体在对应的反应器及管道升温后向下位移,为保证操作状态泵体与传动装置连接的联轴器在设备技术文件规定的角度下工作,冷态时泵头安装高度要高于减速箱中心(电机中心)。

6.14.3 泵体的临时支承件不得妨碍泵头的进出管口和联轴器的安装。

6.14.5 熔体泵的出口压力大于或等于 10MPa,与其连接的管道属于 GC1(3)管道,按照现行国家标准《工业金属管道工程施工规范》GB 50235 的规定,应对连接的螺栓和螺母进行硬度检验。

6.14.7 泵体附件包括密封罐及与泵体之间的连接管子、温度计、压力表等。

6.14.10 预聚物输送泵和熔体输送泵的试运转只是进行减速箱及电机部分的试运转,泵体是在开车进料后直接生产运转。

6.15　给　料　器

6.15.1、6.15.2 给料器在聚酯及固相缩聚时分为旋转给料器和水平给料器,旋转给料器指聚酯安装工程中的 PTA 或 PIA 下料阀、聚酯及固相缩聚安装工程中的切片下料阀,多为星型给料器;水平给料器多为螺杆式输送物料。

6.15.3 本条中所指的旋转给料器、水平给料器、振动筛、PTA(PIA)称量器一般为供货厂商成套供货,并带有控制系统,其试运转、控制联调及带料运转通常是在厂商技术人员指导下完成。

6.16　振　动　筛

6.16.1 为防止计量秤钢结构支架的振动,提出此条要求。

6.17　PTA、PIA 称量器

6.17.3 称量器一般同旋转给料器、振动筛、控制系统成套供货,其试运行应符合供货厂商技术文件的规定。

6.23 水下切粒机

6.23.1～6.23.6 切粒机由铸带头、水下切粒机、双过滤器水分配器、长料预分离器、带水切片输送管道及支架、切片干燥机(分离心式干燥机和风冷式干燥机)、振动筛组成。其中,水下切粒机由启动板、导向槽板、切割室、传动部件、底座及电控系统、气动控制系统等部件组成。铸带头和水下切粒机部分在常温下安装,在工作温度下还要进行调整,安装调整工序复杂,控制项目多。另外,供货厂商不同,具体安装要求也不尽相同,所以水下切粒机的安装和调整应在供货厂商的技术人员指导下进行。

7 管 道 安 装

7.1 管道安装工程的施工

7.1.1 热媒管道焊缝的底层采用氩弧焊是为了保证焊后管道内部清洁,小公称直径管道保证有效流通面积,同时减少焊渣对液相热媒的污染和清洗工作量。

7.1.5~7.1.7 切片风送管道内壁不光滑,法兰连接处错边,都会使得切片风送过程中与管壁的摩擦加剧,容易产生细小颗粒,影响切片质量。

7.1.8 切片在气力输送过程中会因摩擦产生静电,影响切片输送质量和产生事故,因此规定切片风送管道设静电跨接。

7.1.9 现行行业标准《夹套管施工及验收规范》FZ 211 适用于聚酯工程中所有类型的夹套管,比起现行国家标准《工业金属管道工程施工规范》GB 50235 具有更全面的施工和验收要求。

7.1.10 以水为介质做压力试验后,很难把管道中残余的水分除净。在热媒升温过程中,残余的水蒸发而使管道中的压力急剧上升,不安全。如果现场不具备提供气压试验所要求压力的设备,可采用液相热媒作为试验介质,进行液压试验。

7.1.12 聚酯及固相缩聚工程中管道材料有碳钢和不锈钢,管道等级有 GC1(3)、GC2 和 GC3,比较特殊的管道包括夹套管道和切片风送管道,所以本节中补充了现行国家标准《工业金属管道工程施工规范》GB 50235 中没有涉及或比某些条款更严格的内容。

8 电气安装

8.1 电气设备及线缆敷设

8.1.1 本条规定了聚酯及固相缩聚装置的电气设备如电机控制中心配电柜、变频器柜、控制柜及其配套设施等的安装规范。引用现行国家标准《建筑电气工程施工质量验收规范》GB 50303 相关的主要内容有：第 3 章"基本规定"，第 6 章"成套配电柜、控制柜（屏、台）和动力、照明配电箱（盘）安装"。

8.1.2 本条规定了聚酯及固相缩聚装置内电线电缆导管的安装规范，引用现行国家标准《1kV 及以下配线工程施工与验收规范》GB 50575 相关的主要内容有：第 3 章"基本规定"，第 4 章"导管、线槽敷设"，第 5 章"配线"。

8.1.4 本条规定了电缆桥架的安装要求，引用了现行国家标准《建筑电气工程施工质量验收规范》GB 50303 的相关内容。

8.1.7 本条规定了电缆桥架内电缆总截面积与桥架横截面面积之比，引用了现行国家标准《低压配电设计规范》GB 50054 的相关条款。

8.3 接地与接地线

8.3.6 聚酯及固相缩聚装置的电气设备很多，接地的可靠性直接影响设备的正常运转及安全。本条引用了现行国家标准《建筑电气工程施工质量验收规范》GB 50303 的相关规定，强化了设备保护接地的规范性。

9 仪表及控制系统安装

9.1 现 场 仪 表

9.1.1 现场仪表的安装执行现行国家标准《自动化仪表工程施工及质量验收规范》GB 50093 可以保证现场仪表安装的规范性。本条列出了与规范不一致及补充的部分,安装时应优先符合本规范的相关规定。

1 本款对温度计套管提出安装角度和深度要求,以保证温度测量感温元件基本插入到管道中心,且温度计套管与管道焊接部位的厚度能满足焊接要求。

2 乙二醇真空系统降液管物流方向由上至下,温度计套管安装方向斜向下,能防止杂质堆积在温度计套管和管壁之间的空间内,以免造成管道堵塞。

7 当吹气管插入到反应器加热盘管之间的间隙进行液位测量时,不受此款中要求的距离盘管上沿 100mm 的规定约束。

8 毛细管宜敷设在宽度不小于 50mm 的小托盘内进行保护,托盘与热源保持一定的距离并且支架不应固定在绝热设备或管道上。

9 速度传感器特别注意不应安装在转动设备的保护罩上。

12 放射源一旦在反应器内部安装完毕,不应在反应器内部进行任何施工作业,反应器外部距离设备外表面 1m 范围内不应施工。

9.1.2 本条在现行国家标准《自动化仪表工程施工及质量验收规范》GB 50093 的基础上补充了对本规范第 9.1.1 条提出款项的检验项目和检验方法。

10　绝热、涂料防腐蚀安装

10.0.1　对于聚酯及固相缩聚工程,几乎全部的热媒管道、全部的夹套管及部分乙二醇系统的温度在 250℃以上,其连接法兰都需要热紧。真空系统的试验需要在一定温度下进行,其法兰连接处装有隔板,试验合格后需要拆除这些隔板。预聚物泵和熔体泵在升温后才能进行联轴器的安装,所以本条对上述施工部位提出延迟保温施工或先进行临时性保温措施的要求。

10.0.3　聚酯及固相缩聚工程中的钢制设备、管道不涉及防腐蚀衬里,仅采用外表面涂料防腐蚀,再有聚酯生产中会有部分酸性气体产生,对设备、管道和钢结构外表面会有一定的腐蚀,所以聚酯及固相缩聚工程中的钢制设备、管道和钢平台的防腐蚀施工执行石化标准。

附录 A 聚酯及固相缩聚设备工程安装 分项工程和检验批

表 A.0.1 列出的是本规范表 3.1.7 中的聚酯装置设备工程（单位工程）中安装分项工程和检验批。根据生产流程的变化，聚酯生产中，有可能涉及表 A.0.1 中未列出的设备类型，可根据设备特点，参考相应章节进行安装和验收以及进行检验批质量验收记录。

表 A.0.2 列出的是本规范表 3.1.7 中的固相缩聚装置设备工程（单位工程）中安装分项工程和检验批。根据生产流程的变化，固相缩聚生产中，有可能涉及表 A.0.2 中未列出的设备类型，可根据设备特点，参考相应章节进行安装和验收以及进行检验批质量验收记录。

本规范表 3.1.7-1 中切片料仓及调配装置根据项目情况可以列为单位工程，也可以合并在聚酯装置设备工程或固相缩聚装置设备工程中。如果列为单位工程，这两部分中的设备类型在本附录中均能找到，可参考本附录列出的分项工程和检验批。

网址:www.jhpress.com
电话:400-670-9365

统一书号: 155182·0040

定　　价: 39.00 元

UDC

中华人民共和国国家标准

P

GB/T 51193－2016

聚酯及固相缩聚设备工程安装与 质量验收规范

Code for installation and quality acceptance of
PET and SSP equipments engineering

2016－08－26 发布

2017－04－01 实施

中华人民共和国住房和城乡建设部
中华人民共和国国家质量监督检验检疫总局

联合发布